**COLLECTION LANGUE ET CULTURE**
DIRIGÉE PAR JEAN-CLAUDE CORBEIL

# LA GRAMMAIRE EN TABLEAUX

# MARIE-ÉVA DE VILLERS

# LA GRAMMAIRE EN TABLEAUX

*par l'auteure du*
*Multidictionnaire*
*des difficultés de*
*la langue française*

**M**

## NOUVELLE ÉDITION
## MISE À JOUR ET ENRICHIE

**ÉDITIONS QUÉBEC/AMÉRIQUE**
425, RUE SAINT-JEAN-BAPTISTE, MONTRÉAL, QUÉBEC H2Y 2Z7
TÉLÉPHONE: (514) 393-1450

**DONNÉES DE CATALOGAGE AVANT PUBLICATION (CANADA)**

Villers, Marie-Éva de, 1945-

La grammaire en tableaux

Comprend des index.

ISBN 2-89037-651-6

1. Français (Langue) – Grammaire.
2. Français (Langue) – Grammaire – Tableaux, graphiques, etc.
I. Titre

PC2112.V54 1991    448.2    C91–096750–4

CONCEPTION GRAPHIQUE : EMMANUEL BLANC

DÉPÔT LÉGAL: 3e TRIMESTRE 1995
BIBLIOTHÈQUE NATIONALE DU QUÉBEC
ISBN : 2-89037-651-6

DIRECTION
**JACQUES FORTIN –** *ÉDITEUR*
**JEAN-CLAUDE CORBEIL –** *DIRECTEUR LINGUISTIQUE*


CONCEPTION ET RÉDACTION
**MARIE-ÉVA DE VILLERS**


COORDINATION ET RECHERCHE
**LILIANE MICHAUD**


CORRECTION RÉDACTIONNELLE
**SERGE-PIERRE NOËL**


RÉVISION
**JACQUES ARCHAMBAULT**

Mettre à la portée de tous l'essentiel de la grammaire : voilà l'objet principal de ce nouveau guide alphabétique et thématique. De consultation facile, de format pratique, *La Grammaire en tableaux* donne accès rapidement aux notions fondamentales de la grammaire, mais aussi aux règles de la ponctuation, de la typographie, aux conjugaisons, aux écueils les plus fréquents de l'orthographe.

L'ouvrage traite également de l'analyse grammaticale, de distinctions sémantiques, de l'emploi des majuscules et des minuscules, de l'écriture des nombres, des abréviations, sigles et acronymes, des symboles d'unités de mesure, de la correspondance, de références bibliographiques, de curriculum vitæ, etc.; *La Grammaire en tableaux* tente de répondre le plus efficacement possible aux questions multiples que pose l'écriture du français.

Les dictionnaires, les codes orthographiques nous renseignent sur la forme des mots, mais non sur les accords du français écrit. Les micro-ordinateurs comportent maintenant des correcteurs qui, fort heureusement, permettent de supprimer coquilles et fautes d'orthographe d'usage; cependant ces outils précieux ne maîtrisent pas encore la totalité des règles complexes de l'orthographe grammaticale.

Destinée particulièrement aux étudiants et aux enseignants, *La Grammaire en tableaux* s'adresse aussi aux professionnels de l'écriture, à l'ensemble du personnel administratif, à tous ceux qui recherchent prioritairement la qualité de la langue et de la communication.

Reprenant les tableaux du *Multidictionnaire des difficultés de la langue française*, cet ouvrage de référence ordonne en tableaux les informations grammaticales, orthographiques, typographiques. Il les explique dans une langue simple et les illustre d'exemples tirés de notre réalité.

*La Grammaire en tableaux* comporte une liste alphabétique et des index qui permettent un repérage rapide de l'information :

**1. Liste alphabétique des tableaux.** La liste répertorie les titres des quelque 150 tableaux de l'ouvrage avec la mention des pages où ils figurent.

**2. Index thématique des tableaux.** L'index thématique regroupe par sujets – grammaire, typographie, conjugaisons, correspondance, etc. – les divers tableaux avec la mention des pages où ces thèmes sont traités.

**3. Index général des mots clés.** L'index général des mots clés donne par ordre alphabétique tous les mots qui apparaissent dans les tableaux avec l'indication des pages où l'on peut les retrouver.

Grâce à ces trois accès faciles, *La Grammaire en tableaux* permet d'apprivoiser ou de retrouver les notions grammaticales essentielles à la maîtrise du français.

**Marie-Éva de Villers**

---

**Abréviations et symboles utilisés dans l'ouvrage**

abrév. (abréviation)
ex. (exemple)
maj./min. (majuscule ou minuscule)
symb. (symbole)
V. (voir)
* L'astérisque précède une forme fautive.
☞ La punaise précède une note.

# TABLEAUX

# Règles de l'**abréviation**

L'**abréviation** est le retranchement de lettres dans un mot à des fins d'économie de place ou de temps.

*M^{me}* est l'abréviation de «Madame», **app.** de «appartement».

Le **sigle** est une abréviation constituée par les initiales de plusieurs mots et qui s'épelle lettre par lettre.

*STCUM* est le sigle de «Société de transport de la Communauté urbaine de Montréal».

L'**acronyme** est une abréviation composée des initiales ou des premières lettres d'une désignation et qui se prononce comme un seul mot.

*Cégep* est l'acronyme de «collège d'enseignement général et professionnel».

Le **symbole** est un signe conventionnel constitué par une lettre, un groupe de lettres, etc. Il appartient au système de notation des sciences et des techniques. Par exemple, les symboles des unités de mesure, les symboles chimiques et mathématiques.

*Le symbole de «mètre» est* **m,** *celui de «kilogramme»,* **kg,** *celui de «dollar»,* **$.**

☞ Lors d'une première mention dans un texte, il importe d'expliciter toute abréviation non usuelle, tout sigle, acronyme ou symbole non courant en donnant au moins une fois la désignation au long.

**En l'absence d'abréviation consacrée par l'usage, on abrégera selon les modes suivants :**

1° RETRANCHEMENT DES LETTRES FINALES (APRÈS UNE CONSONNE)

| | | |
|---|---|---|
| La dernière lettre de l'abréviation est suivie du point abréviatif. | *environ* | **env.** |
| | *introduction* | **introd.** |
| | *traduction* | **trad.** |
| On abrège généralement devant la voyelle de l'avant-dernière syllabe. S'il n'y a pas de risque de confusion, il est possible de supprimer un plus grand nombre de lettres. | *exemple* | **ex.** |
| | *quelque chose* | **qqch.** |
| | *téléphone* | **tél.** |

2° RETRANCHEMENT DES LETTRES MÉDIANES

| | | |
|---|---|---|
| La lettre finale n'est pas suivie du point abréviatif, puisque la lettre finale de l'abréviation correspond à la dernière lettre du mot. | *boulevard* | **b^d** |
| | *compagnie* | **C^{ie}** |
| | *maître* | **M^e** |
| | *madame* | **M^{me}** |
| | *vieux* | **vx** |
| L'abréviation des adjectifs numéraux ordinaux obéit à cette règle. | *premier* | **1^{er}** |
| | *deuxième* | **2^e** |

3° RETRANCHEMENT DE TOUTES LES LETTRES À L'EXCEPTION DE L'INITIALE

| | | |
|---|---|---|
| L'initiale est suivie du point abréviatif. | *monsieur* | **M.** |
| | *page* | **p.** |
| | *siècle* | **s.** |
| | *verbe* | **v.** |

suite ⟶

# Règles de l'**abréviation** suite

**4°** RETRANCHEMENT DES LETTRES DE PLUSIEURS MOTS À L'EXCEPTION DES INITIALES

| | |
|---|---|
| Ces abréviations constituent des sigles où les initiales sont suivies ou non d'un point. Par souci de simplification, on observe une tendance à omettre les points abréviatifs. | *Organisation des* **ONU** *Nations Unies* |
| | *Organisation des* **p**ays **OPEP** *exportateurs de* **p**étrole |

☞ – Les abréviations, les sigles et les symboles ne prennent pas la marque du pluriel à l'exception de certaines abréviations consacrées par l'usage.

$M^{me}$ $M^{mes}$      n° n°ˢ      M. **MM.**

– Les accents et les traits d'union du mot abrégé sont conservés dans l'abréviation.

*c'est-à-dire* **c.-à-d.**      *Jésus-Christ* **J.-C.**

– En fin de phrase, le point abréviatif se confond avec le point final.

– Les symboles ne comportent pas de point abréviatif.

| | | |
|---|---|---|
| *année* **a** | *centimètre* **cm** | *mercure* **Hg** |
| *cent* (monnaie) **¢** | *heure* **h** | *watt* **W** |

– Les symboles d'unités de mesure et les symboles d'unités monétaires sont séparés par un espace simple du nombre entier ou fractionnaire obligatoirement exprimé en chiffres.

**15 ¢**      **10,5 cm**

V. Tableau – **ABRÉVIATIONS COURANTES.**
V. Tableau – **ACRONYME.**
V. Tableau – **SIGLE.**
V. Tableau – **SYMBOLE.**

- - - - - - - - - - - - - - - - - - - - - - - ① - - - - - - - - - - - - - - - - - - - - - -

**boul.** est l'ABRÉVIATION de *boulevard*

**laser** est l'ACRONYME de *light amplification by stimulated emission of radiation*

**PME** est le SIGLE de *petite et moyenne entreprise*

**km** est le SYMBOLE de *kilomètre*

# Abréviations courantes

| | | | |
|---|---|---|---|
| AC | atmosphère contrôlée | M$^{lle}$, M$^{lles}$ | mademoiselle, mesdemoiselles |
| adr. | adresse | MM. | messieurs |
| Alb. | Alberta | M$^{me}$, M$^{mes}$ | madame, mesdames |
| ap. J.-C. | après Jésus-Christ | N. | nord |
| app. | appartement | N.B. | *nota bene* |
| art. | article | N.-B. | Nouveau-Brunswick |
| a/s de | aux soins de | N.D.L.R. | note de la rédaction |
| av. | avenue | N.D.T. | note du traducteur |
| av. J.-C. | avant Jésus-Christ | N.-É. | Nouvelle-Écosse |
| b$^d$, bd ou boul. | boulevard | n$^o$, n$^{os}$ | numéro, numéros |
| bdc | bas-de-casse | O. | ouest |
| bibl. | bibliothèque | Ont. | Ontario |
| bibliogr. | bibliographie | p. | page(s) |
| B.P. | boîte postale | p.c. | pour cent |
| boul., b$^d$ ou bd | boulevard | p.c.q. | parce que |
| c. | contre | p. ex. | par exemple |
| c.a. | comptable agréé | p.j. | pièce jointe |
| c.a. | courant alternatif | P$^r$ | professeur |
| c.-à-d. | c'est-à-dire | prov. | province |
| C.-B. | Colombie-Britannique | P.-S. | post-scriptum |
| c.c. | copie conforme | p.-v. | procès-verbal |
| c.c. | courant continu | QC | Québec |
| C/c | compte courant | qq. | quelque |
| cf., conf. | *confer* | qqch. | quelque chose |
| ch. | chacun | qqn | quelqu'un |
| ch. | chemin | réf. | référence |
| chap. | chapitre | r$^o$ | recto |
| ch. de f. | chemin de fer | R.R. | route rurale |
| C$^{ie}$ | compagnie | R.S.V.P. | répondez s'il vous plaît |
| C.P. | case postale | rte ou r$^{te}$ | route |
| C.R. | contre remboursement | s. | siècle |
| cté ou c$^{té}$ | comté | S. | sud |
| D$^r$ ou Dr | docteur | Sask. | Saskatchewan |
| E. | est | sc. | science(s) |
| éd. | édition | s.d. | sans date |
| édit. | éditeur | s.l. | sans lieu |
| enr. | enregistrée | s.l.n.d. | sans lieu ni date |
| env. | environ | s.o. | sans objet |
| et al. | *et alii* | S$^{t}$-, S$^{ts}$- | Saint-, Saints- |
| etc. | *et cetera* | S$^{te}$-, S$^{tes}$- | Sainte-, Saintes- |
| ex. | exemple | S$^{té}$ | société |
| FAB | franco à bord | S.V.P., s.v.p. ou SVP | s'il vous plaît |
| f$^g$ ou fg | faubourg | tél. | téléphone |
| fig. | figure | T.-N. | Terre-Neuve |
| ibid. | *ibidem* | T.-N.-O. | Territoires-du-Nord-Ouest |
| id. | *idem* | TSVP | tournez s'il vous plaît |
| inc. | incorporée | V. ou v. | voir |
| Î.-P.-É. | Île-du-Prince-Édouard | v$^o$ | verso |
| ltée | limitée | vol. | volume(s) |
| M. | monsieur | Yn | Yukon |
| Man. | Manitoba | | |
| max. | maximum | | |
| M$^e$, M$^{es}$ | maître, maîtres | V. Tableau – **SIGLES COURANTS.** | |
| min. | minimum | V. Tableau – **GRADES ET DIPLÔMES UNIVERSITAIRES.** | |

# Emploi **absolu**

L'emploi absolu, ou la construction absolue, désigne l'utilisation d'un mot en l'absence des autres mots qui l'entourent généralement. Ainsi, un verbe transitif employé absolument est sans complément d'objet.

Quelques exemples de mots employés absolument :

- **Verbe sans complément d'objet**

    *L'objectif de ce traitement est de guérir* (le malade), *ou à tout le moins, de soulager. Madame reçoit* (ses invités) *tous les jeudis. Le chirurgien opère* (un patient) *depuis deux heures.*

- **Nom sans complément déterminatif**

    *Le Gouvernement* (du Québec) *a effectué des compressions budgétaires.*

- **Nom sans adjectif qualificatif**

    *Cette orthographe est préconisée par l'Académie* (française). *Ce dossier est du ressort de l'Administration* (publique).

# Accents

Les accents sont des signes qui se placent sur certaines voyelles afin d'en préciser la prononciation. Ce sont l'accent aigu, l'accent grave et l'accent circonflexe. Le tréma est un signe orthographique que l'on met sur les voyelles **e, i, u** pour indiquer que la voyelle qui précède ou qui suit doit être prononcée séparément.

**SENS ET PRONONCIATION**

Outre la prononciation, les accents permettent de distinguer certains mots dont le sens varie en fonction de leur accentuation :

| | | | | |
|---|---|---|---|---|
| *acre* | (surface) | et | *âcre* | (irritant) |
| *cote* | (mesure) | et | *côte* | (pente) |
| *sur* | (aigre) | et | *sûr* | (certain) |
| *tache* | (marque) | et | *tâche* | (travail) |

**Majuscules accentuées**

Parce que les accents permettent de clarifier la prononciation et le sens des mots, il importe d'accentuer les majuscules aussi bien que les minuscules. En effet, l'absence d'accents peut modifier complètement le sens d'une phrase. Ainsi, les mots *SALE* et *SALÉ, MEUBLE* et *MEUBLÉ* ne se distinguent que par l'accent. Autre exemple : seul l'accent permet de différencier les phrases *UN ASSASSIN TUÉ* et *UN ASSASSIN TUE.*

☞ Les abréviations, les sigles et les acronymes n'échappent pas à cette règle. On écrira donc *É.-U.* (abréviation de *États-Unis*), *CÉE* (sigle de *Communauté économique européenne*), *ÉNAP* (acronyme de *École nationale d'administration publique*).

# Accents pièges

La langue française comporte plusieurs illogismes, de nombreuses anomalies qui peuvent être la cause d'erreurs. Voici, à titre d'exemples, une liste des mots pour lesquels les fautes d'accent sont fréquentes.

## • MOTS DE MÊME ORIGINE AVEC OU SANS ACCENT?

| | | | | | |
|---|---|---|---|---|---|
| âcre | et | acrimonie | jeûner | et | déjeuner |
| arôme | et | aromatique | pôle | et | polaire |
| diplôme | et | diplomatique | râteau | et | ratisser |
| fantôme | et | fantomatique | sûr | et | assurer |
| grâce | et | gracieux | symptôme | et | symptomatique |
| infâme | et | infamant | trône | et | introniser |

## • MOTS AVEC OU SANS ACCENT CIRCONFLEXE?

Les participes passés des verbes *devoir, mouvoir* et *croître* :

*dû,* mais *due, dus, dues*
*mû,* mais *mue, mus, mues*
*crû,* mais *crue, crus, crues.*

| **Avec** un accent circonflexe | | **Sans** accent circonflexe | |
|---|---|---|---|
| abîme | épître | axiome | égout |
| aîné | faîte | barème | flèche |
| bâbord | fraîche | bateau | guépard |
| blême | gîte | chapitre | havre |
| câble | mât | chenet | pédiatre |
| crêpe | piqûre | cime | racler |
| dîme | voûte | crèche | syndrome |

## • MOTS AVEC UN ACCENT AIGU OU UN ACCENT GRAVE?

| Avec un accent **aigu** | | Avec un accent **grave** | |
|---|---|---|---|
| assécher | extrémité | assèchement | empiècement |
| bohémien | poésie | avènement | espièglerie |
| céleri | réglementaire | brièvement | grossièreté |
| crémerie | sécheresse | complètement | mièvrerie |
| | | dessèchement | règlement |

## • MOTS AVEC OU SANS TRÉMA?

| **Avec** un tréma | | **Sans** tréma |
|---|---|---|
| aïeul | haïr | acuité |
| archaïque | héroïsme | coefficient |
| caïman | inouï | goéland |
| canoë | maïs | incongruité |
| coïncidence | mosaïque | kaléidoscope |
| contiguïté | naïf | poème |
| égoïste | ouïe | protéine |
| faïence | païen | simultanéité |
| glaïeul | troïka | ubiquité |

# Acronyme

Un **acronyme** est l'abréviation d'un groupe de mots constituée des premières lettres de chacun de ces mots.

L'acronyme est un sigle qui se prononce comme un seul mot.

| | |
|---|---|
| **AFNOR** | **A**ssociation française de **nor**malisation |
| **OTAN** | **O**rganisation du **t**raité de l'**A**tlantique **N**ord |
| **Laser** | **L**ight **a**mplification by **s**timulated **e**mission of **r**adiation |
| **Benelux** | **Be**lgique-**Ne**derland-**Lux**embourg |
| **Cégep** | **C**ollège d'**e**nseignement **g**énéral **e**t **p**rofessionnel |

À son premier emploi dans un texte, l'acronyme est généralement précédé de sa désignation au long.

☞ Les acronymes conservent les accents. ***ÉNAP*** (*École nationale d'administration publique*).

☞ On supprime souvent les points abréviatifs des acronymes et des sigles. Dans cet ouvrage, les acronymes ainsi que les sigles sont notés sans points; cependant, la forme avec points est généralement correcte. Les acronymes figurent dans le tableau – **SIGLES COURANTS**.

V. Tableau – **ABRÉVIATION** (RÈGLES DE L').
V. Tableau – **SIGLE**.
V. Tableau – **SYMBOLE**.

........................................................

***COFI*** est l'ACRONYME de
*Centre d'orientation et de formation des immigrants.*

***NASA*** est l'ACRONYME de
*National Aeronautics and Space Administration.*

***OVNI*** est l'ACRONYME de
*objet volant non identifié.*

***SIDA*** est l'ACRONYME de
*syndrome immuno-déficitaire acquis* ou *syndrome d'immunodéficience acquise.*

........................................................

# Adjectif

On distingue généralement deux grandes catégories d'adjectifs :

— les **adjectifs qualificatifs, adverbiaux** et **verbaux;**

— les **déterminants :**    **adjectifs démonstratifs**
                           **adjectifs possessifs**
                           **adjectifs numéraux**
                           **adjectifs relatifs**
                           **adjectifs interrogatifs et exclamatifs**
                           **adjectifs indéfinis.**

☞    Les articles sont aussi des déterminants.

V. Tableau – **DÉTERMINANT.**

### ADJECTIFS QUALIFICATIFS, ADVERBIAUX ET VERBAUX

#### 1. Adjectifs qualificatifs

Adjectifs qui expriment une qualité des êtres ou des objets désignés par le nom qu'ils accompagnent et avec lequel ils s'accordent.

*Une belle pomme, une grande fille, une table ronde, des roses odorantes, de vieilles photos.*

#### Accord de l'adjectif qualificatif

De façon générale, l'adjectif s'accorde en genre et en nombre avec le nom qu'il accompagne et dont il est épithète ou attribut.

#### Cas particuliers

• Avec plusieurs noms au singulier, l'adjectif se met au pluriel.

*Un fruit et un légume mûrs. Une pomme et une orange juteuses.*

• Avec plusieurs noms de genre différent, l'adjectif se met au masculin pluriel.

*Une mère et un fils avisés.*

• Avec des mots séparés par **ou,** l'adjectif s'accorde avec le dernier, si l'un des mots exclut l'autre.

*Il est d'une naïveté ou d'une perversité singulière.*

• Avec un nom complément d'un autre nom, l'adjectif s'accorde selon le sens.

*Une coupe d'or ciselée ou ciselé.*

• Avec un nom collectif, l'adjectif s'accorde avec le collectif ou son complément, selon le sens.

*La majorité des élèves sont malades. Ce groupe de touristes est polyglotte.*

V. Tableau – **COLLECTIF.**

• Les adjectifs de couleur de forme simple s'accordent en genre et en nombre, alors que les adjectifs composés et les noms employés comme adjectifs de couleur restent invariables.

*Des robes bleues, des costumes noirs. Une jupe vert forêt, des cheveux poivre et sel. Des écharpes tangerine, des foulards turquoise ou kaki.*

V. Tableau – **COULEUR** (ADJECTIFS DE).

suite ➞

# Adjectif suite

### Degrés de signification

Les adjectifs qualificatifs peuvent s'employer :

| | | |
|---|---|---|
| • au **positif** | – qualité attribuée | *La rose est belle.* |
| • au **comparatif** | – supériorité | *La rose est **plus** belle **que** l'iris.* |
| | – égalité | *La rose est **aussi** belle **que** l'iris.* |
| | – infériorité | *La rose est **moins** belle **que** l'iris.* |
| • au **superlatif** relatif | – supériorité | *La rose est **la plus** belle de toutes.* |
| | – infériorité | *La rose est **la moins** belle de toutes.* |
| • au **superlatif** absolu | – supériorité | *La rose est **très** belle.* |
| | – infériorité | *La rose est **très peu** belle.* |

☞ Le langage de la publicité crée volontiers des superlatifs à l'aide des préfixes latins **super, extra**. *C'était une fête **super**.* Les adolescents font aussi largement usage de ces superlatifs. *Ma copine est **extra**.*

### 2. Adjectifs adverbiaux

Adjectifs employés comme adverbes, ils sont invariables.

> **Haut** les mains! Ces produits coûtent **cher**. Cela sonne **faux**. Ils vont **vite**.

### 3. Adjectifs verbaux

Adjectifs qui ont la valeur de simples qualificatifs, ils s'accordent en genre et en nombre avec le nom déterminé.

> Des îles **flottantes**. Une soirée **dansante** à la nuit **tombante**.

☞ Il ne faut pas confondre l'adjectif verbal et le participe présent. Alors que le participe présent, toujours invariable, exprime une action qui a lieu en même temps que l'action du verbe qu'il accompagne, l'adjectif verbal traduit un état, une qualité et prend la marque du féminin et du pluriel.

Certains verbes ont un participe présent et un adjectif verbal dont l'orthographe est différente :

| Participe présent | Adjectif verbal |
|---|---|
| adhérant | adhérent |
| convainquant | convaincant |
| différant | différent |
| équivalant | équivalent |
| excellant | excellent |
| fatiguant | fatigant |
| négligeant | négligent |
| précédant | précédent |
| provoquant | provocant |
| suffoquant | suffocant |

**Négligeant** *leur rôle d'arbitres, ils ont pris parti pour nos adversaires. Ces arbitres* **négligents** *seront congédiés. Les articles vendus* **équivalant** *à plusieurs milliers, le chiffre d'affaires est excellent. Il faut acheter des quantités* **équivalentes** *à celles de l'an dernier.*

V. Tableau – **DÉMONSTRATIF** (ADJECTIF).
V. Tableau – **INDÉFINI** (ADJECTIF).
V. Tableau – **INTERROGATIF ET EXCLAMATIF** (ADJECTIF).
V. Tableau – **NUMÉRAL** (ADJECTIF).
V. Tableau – **PARTICIPE PRÉSENT.**
V. Tableau – **POSSESSIF** (ADJECTIF).
V. Tableau – **RELATIF** (ADJECTIF).

# Adresse

• La désignation du **destinataire** comprend un titre de civilité (le plus souvent **Monsieur** ou **Madame**) suivi du prénom (abrégé ou non) et du nom de la personne. *Madame Laurence Dubois. Monsieur Philippe Larue.* Il est recommandé d'inscrire le titre de civilité au long sur l'enveloppe ainsi qu'au début de la lettre.

• La **destination** comporte l'indication du numéro suivi d'une virgule, du nom générique (**avenue, rue, boulevard, place, côte, chemin,** etc.) écrit en minuscules et souvent abrégé, enfin du nom de la voie publique. S'il y a lieu, on écrira le numéro de l'appartement ou du bureau. À la fin de la ligne d'une adresse, on ne met ni virgule ni point final.

> *837, avenue de la Brunante*     *234, boul. des Laurentides, app. 12*
> *55, place Cambray*     *1050, rue Saint-Laurent, bureau 302*

☞ Dans la mesure du possible, on évitera d'abréger les adjectifs **Saint-, Sainte-** en **St-, Ste-.**

• Certains noms de rue comprennent la mention d'un **point cardinal** : celui-ci s'écrit avec une majuscule à la suite du nom spécifique de la voie publique. *555, boul. René-Lévesque Ouest.*

• Pour un document adressé à un **bureau de poste,** on inscrira **case postale** ou **boîte postale** dont les abréviations **C.P.** et **B.P.** sont acceptées. *Case postale 725, Succursale B.*

• Le nom de la **ville** s'écrit au long en minuscules (avec majuscule initiale) ou en majuscules. *Montréal, CHICOUTIMI.*

• Au Canada, il est recommandé d'écrire le nom de la **province** entre parenthèses au long. S'il est nécessaire d'abréger, on utilisera l'abréviation normalisée.

☞ Dans la correspondance, il est préférable de ne pas abréger le nom **Québec.** Le symbole **QC** doit être réservé à certains usages techniques : formulaires informatisés, tableaux statistiques.

• La mention du **code postal** est désormais obligatoire au Canada; celui-ci doit figurer en majuscules après l'indication de la ville et de la province, s'il y a lieu.

> Au Canada, ce code est alphanumérique : *Montréal (Québec)*
> *H2V 2Y6*
>
> En France, le code est numérique : *75006 Paris*

| Abréviations des noms génériques usuels | |
|---|---|
| avenue | av. |
| boulevard | $b^d$, bd ou boul. |
| chemin | ch. |
| route | rte ou $r^{te}$ |

• Pour les lettres adressées à l'**étranger,** il est préférable d'inscrire le nom du pays en majuscules et de le souligner. Dans la mesure du possible, il importe de se conformer aux usages du pays de destination.

> *Time Magazine*
> *541 North Fairbanks Court*
> *Chicago*
> *Illinois*
> *ÉTATS-UNIS 60611*

☞ Au Québec, il est préférable d'écrire le nom du pays en français puisque cette indication sert au tri postal du pays de départ.

• Les diverses **mentions** susceptibles d'être inscrites sur l'enveloppe afin de préciser le type d'envoi ou d'en limiter la diffusion sont au masculin singulier et s'écrivent en majuscules.

> *RECOMMANDÉ*     *PERSONNEL*     *CONFIDENTIEL*

• L'expéditeur doit inscrire son adresse complète en haut, au coin gauche de l'enveloppe, ou au verso, au centre de la patte de l'enveloppe, dans la correspondance privée.

| Abréviations normalisées des provinces et territoires canadiens | |
|---|---|
| Alberta | Alb. |
| Colombie-Britannique | C.-B. |
| Île-du-Prince-Édouard | Î.-P.-É. |
| Manitoba | Man. |
| Nouveau-Brunswick | N.-B. |
| Nouvelle-Écosse | N.-É. |
| Ontario | Ont. |
| Québec | – |
| Saskatchewan | Sask. |
| Terre-Neuve | T.-N. |
| Territoires-du-Nord-Ouest | T.-N.-O. |
| Yukon | Yn |

V. Tableau – **ENVELOPPE.**

# Adverbe

L'adverbe est un mot invariable qui se joint à un autre mot pour en modifier ou en préciser le sens.

Il peut ainsi modifier ou préciser :
| | |
|---|---|
| – un verbe | Il dessine **bien.** |
| – un adjectif | Une maison **trop** petite. |
| – un autre adverbe | Elle chante **tellement** mal. |
| – un nom | Un roi **vraiment** roi. |

☞ L'adverbe peut parfois préciser le sens d'un pronom. C'est **bien** lui, mon ami.

Les adverbes peuvent exprimer :
| | |
|---|---|
| – la manière | *tendrement* |
| – le lieu | *derrière* |
| – le temps | *demain* |
| – la quantité | *beaucoup* |
| – l'affirmation | *certainement* |
| – la négation | *nullement* |
| – le doute | *peut-être* |
| – l'interrogation | *où? combien?* |

☞ La locution adverbiale est composée de plusieurs mots et joue le même rôle que l'adverbe.

## LES ADVERBES ET LES LOCUTIONS ADVERBIALES DE **MANIÈRE**

**Comment?**

| | | |
|---|---|---|
| ainsi | comment | calmement |
| à loisir | d'aplomb | doucement |
| à part | exprès | gentiment |
| à tort | faux | gravement |
| à volonté | fort | méchamment |
| bien | gratis | prudemment |
| bon | juste | sagement |
| beau | mal | la plupart des adverbes en -**ment** |
| cher | pêle-mêle… | |

☞ Certains mots comme **bien, bon, cher, faux, fort, juste**… ne sont des adverbes de manière que s'ils modifient le sens du mot auquel ils se rapportent. *Cela sent bon.* Sinon, ils sont adjectifs qualificatifs. *C'est un bon ami.*

**Dans quel ordre?**

| | | |
|---|---|---|
| après | premièrement | primo |
| avant | deuxièmement | secundo |
| auparavant | troisièmement | tertio |
| d'abord | quatrièmement | quarto |
| dernièrement | cinquièmement | quinto |
| de suite | sixièmement | sexto |
| ensuite | septièmement | septimo |
| successivement... | huitièmement… | octavo… |

## LES ADVERBES ET LES LOCUTIONS ADVERBIALES DE **LIEU**

**Où?**

| | | | | |
|---|---|---|---|---|
| à droite | au-dessus | dessous | en dessous | loin |
| à gauche | au-devant | dessus | en dessus | par derrière |
| ailleurs | autour | en arrière | en haut | par devant |
| alentour | dedans | en avant | hors | partout |
| au-dedans | dehors | en bas | ici | près |
| au-dehors | derrière | en dedans | là | quelque part… |
| au-dessous | devant | en dehors | là-bas | |

suite →

# Adverbe suite

☞ Certains mots comme **autour, devant, derrière, dessous, dessus, hors, près, au-devant**... ne sont des **adverbes** ou des **locutions adverbiales** de lieu que s'ils modifient le sens du mot auquel ils se rapportent. *Elle joue derrière. Ils sont assis devant. Tourne à gauche.* S'ils sont suivis d'un complément, ils sont des **prépositions** ou des **locutions prépositives**. *Il y a un arbre derrière la maison. Ils jouent devant l'école. Prends le sentier à gauche de la maison.*

### LES ADVERBES ET LOCUTIONS ADVERBIALES DE **TEMPS**

**Quand?**

| | | | | |
|---|---|---|---|---|
| antérieurement | bientôt | ensuite | puis | tôt |
| après | demain | hier | soudain | toujours |
| aujourd'hui | dernièrement | jadis | sous peu | tout à coup |
| auparavant | désormais | naguère | souvent | tout à l'heure |
| autrefois | dorénavant | parfois | tantôt | tout de suite... |
| avant-hier | encore | postérieurement | tard | |

**Pendant combien de temps?**
brièvement
longtemps...

**Depuis combien de temps?**
depuis longtemps
depuis peu...

### LES ADVERBES ET LOCUTIONS ADVERBIALES DE **QUANTITÉ**

**Combien?**

| | | | | |
|---|---|---|---|---|
| à demi | aussi... que | entièrement | peu | tant |
| à moitié | autant | le moins | plus | tellement |
| à peine | beaucoup | le plus | plus ou moins | tout |
| à peu près | bien | moins | plus... que | tout à fait |
| assez | comme | moins... que | presque | très |
| aussi | davantage | pas du tout | quasi | trop... |

☞ 1° Certains mots comme **aussi, comme**... peuvent être également des conjonctions. *J'arrivais comme (conjonction) il partait. Comme (adverbe) il est grand! Ces produits ne sont pas biodégradables, aussi (conjonction) vaut-il mieux ne pas les utiliser. Il est aussi (adverbe) gentil qu'elle.*
2° Les mots **autant, bien, tant, tellement**... immédiatement suivis de la conjonction **que** forment des **locutions conjonctives**. *Je ne le changerai pas tant qu'il fonctionnera.*

### LES ADVERBES ET LOCUTIONS ADVERBIALES D'**AFFIRMATION**

| | | | | |
|---|---|---|---|---|
| à la vérité | bien sûr | d'accord | oui | si |
| après tout | certainement | en vérité | précisément | volontiers |
| assurément | certes | justement | sans doute | vraiment... |

### LES ADVERBES ET LOCUTIONS ADVERBIALES DE **NÉGATION**

| | | | |
|---|---|---|---|
| aucunement | ne... guère | ne... plus | non |
| jamais | ne... jamais | ne... point | nullement |
| ne | ne... pas | ne... rien | pas du tout... |

### LES ADVERBES ET LOCUTIONS ADVERBIALES DE **DOUTE**

| | | | |
|---|---|---|---|
| à peu près | environ | par hasard | probablement |
| apparemment | éventuellement | peut-être | vraisemblablement... |

### LES ADVERBES ET LOCUTIONS ADVERBIALES D'**INTERROGATION**

| | | | |
|---|---|---|---|
| combien? | est-ce que? | n'est-ce pas? | pourquoi? |
| comment? | et alors? | où? | quand?... |

# Conjugaison du verbe **aller**

## INDICATIF

### Présent

je vais
tu vas
il va
nous allons
vous allez
ils vont

### Passé composé

je suis allé
tu es allé
il est allé
nous sommes allés
vous êtes allés
ils sont allés

### Imparfait

j'allais
tu allais
il allait
nous allions
vous alliez
ils allaient

### Plus-que-parfait

j'étais allé
tu étais allé
il était allé
nous étions allés
vous étiez allés
ils étaient allés

### Passé simple

j'allai
tu allas
il alla
nous allâmes
vous allâtes
ils allèrent

### Passé antérieur

je fus allé
tu fus allé
il fut allé
nous fûmes allés
vous fûtes allés
ils furent allés

### Futur simple

j'irai
tu iras
il ira
nous irons
vous irez
ils iront

### Futur antérieur

je serai allé
tu seras allé
il sera allé
nous serons allés
vous serez allés
ils seront allés

## CONDITIONNEL

### Présent

j'irais
tu irais
il irait
nous irions
vous iriez
ils iraient

### Passé

je serais allé
tu serais allé
il serait allé
nous serions allés
vous seriez allés
ils seraient allés

## SUBJONCTIF

### Présent

que j'aille
que tu ailles
qu'il aille
que nous allions
que vous alliez
qu'ils aillent

### Passé

que je sois allé
que tu sois allé
qu'il soit allé
que nous soyons allés
que vous soyez allés
qu'ils soient allés

### Imparfait

que j'allasse
que tu allasses
qu'il allât
que nous allassions
que vous allassiez
qu'ils allassent

### Plus-que-parfait

que je fusse allé
que tu fusses allé
qu'il fût allé
que nous fussions allés
que vous fussiez allés
qu'ils fussent allés

## IMPÉRATIF

### Présent

va
allons
allez

### Passé

sois allé
soyons allés
soyez allés

## PARTICIPE

### Présent

allant

### Passé

allé, ée
étant allé

## INFINITIF

### Présent

aller

### Passé

être allé

# Conjugaison du verbe **s'en aller**

## INDICATIF

### Présent

je m'en vais
tu t'en vas
il s'en va
ns ns en allons
vs vs en allez
ils s'en vont

### Passé composé

je m'en suis allé
tu t'en es allé
il s'en est allé
ns ns en sommes allés
vs vs en êtes allés
ils s'en sont allés

### Imparfait

je m'en allais
tu t'en allais
il s'en allait
ns ns en allions
vs vs en alliez
ils s'en allaient

### Plus-que-parfait

je m'en étais allé
tu t'en étais allé
il s'en était allé
ns ns en étions allés
vs vs en étiez allés
ils s'en étaient allés

### Passé simple

je m'en allai
tu t'en allas
il s'en alla
ns ns en allâmes
vs vs en allâtes
ils s'en allèrent

### Passé antérieur

je m'en fus allé
tu t'en fus allé
il s'en fut allé
ns ns en fûmes allés
vs vs en fûtes allés
ils s'en furent allés

### Futur simple

je m'en irai
tu t'en iras
il s'en ira
ns ns en irons
vs vs en irez
ils s'en iront

### Futur antérieur

je m'en serai allé
tu t'en seras allé
il s'en sera allé
ns ns en serons allés
vs vs en serez allés
ils s'en seront allés

## CONDITIONNEL

### Présent

je m'en irais
tu t'en irais
il s'en irait
ns ns en irions
vs vs en iriez
ils s'en iraient

### Passé

je m'en serais allé
tu t'en serais allé
il s'en serait allé
ns ns en serions allés
vs vs en seriez allés
ils s'en seraient allés

## SUBJONCTIF

### Présent

que je m'en aille
que tu t'en ailles
qu'il s'en aille
que ns ns en allions
que vs vs en alliez
qu'ils s'en aillent

### Passé

que je m'en sois allé
que tu t'en sois allé
qu'il s'en soit allé
que ns ns en soyons allés
que vs vs en soyez allés
qu'ils s'en soient allés

### Imparfait

que je m'en allasse
que tu t'en allasses
qu'il s'en allât
que ns ns en allassions
que vs vs en allassiez
qu'ils s'en allassent

### Plus-que-parfait

que je m'en fusse allé
que tu t'en fusses allé
qu'il s'en fût allé
que ns ns en fussions allés
que vs vs en fussiez allés
qu'ils s'en fussent allés

## IMPÉRATIF

### Présent

va-t'en
allons-nous-en
allez-vous-en

## PARTICIPE

### Présent

s'en allant

### Passé

en allé
s'en étant allé, ée

## INFINITIF

### Présent

s'en aller

### Passé

s'en être allé

# Analyse grammaticale

| NATURE | | FONCTIONS |
|---|---|---|
| **VERBE** OU LOCUTION VERBALE | • **conjugué** • **à l'infinitif** *groupe, mode, temps, personne et nombre* | Mot moteur de la phrase. 🖙 Il est d'usage d'indiquer son sujet. Comme le nom, le verbe à l'infinitif peut être sujet, complément d'objet direct, complément d'objet indirect, complément circonstanciel, complément du nom ou attribut. |

| NATURE | | FONCTIONS | QUESTIONS | EXEMPLES |
|---|---|---|---|---|
| **NOM** | • **commun** • **propre** *genre (masculin, ou féminin) nombre (singulier ou pluriel)* | sujet du verbe x | **qui est-ce qui? qu'est-ce qui?** | *L'enfant rit, la voiture roule.* |
| | | complément d'objet direct du verbe x | **qui? quoi?** | *La jardinière plante des fleurs, nous aimons les jardins.* |
| | | complément d'objet indirect du verbe x | **à qui? à quoi? de qui? de quoi? par qui? par quoi?** | *Pierre parle à son ami.* |
| | | complément circonstanciel **de lieu** du verbe x | **où?** | *Bianca mange au bureau. Range ton livre dans ton sac.* |
| | | ... **de temps**... | **quand?** | *Le spectacle finit à 22 heures.* |
| | | ... **de manière, de moyen**... | **comment?** | *Ils pêchent la sardine au filet.* |
| | | ... **de but, de cause, de raison**... | **pourquoi?** | *Il faut manger pour vivre.* |
| | | ... **de prix, de poids, de mesure**... | **combien?** | *Ce repas coûte 20 $. Ce fromage pèse 200 g.* |
| | | complément du nom x | **quel? quelle? quels? quelles? de qui? de quoi? à quoi? pour qui?** | *La clé de ta maison. La porte de la mienne. Un litre de lait.* |
| | | complément du pronom x | **de qui? de quoi?** | *Celle de mon frère.* |
| | | complément de l'adjectif x | **à quoi? de quoi? en quoi?** | *Clara est bonne en maths. Elle est fière de ses enfants.* |
| | | attribut du sujet x | **qui? quoi?** | *La vache est un mammifère.* |
| | | mot(s) mis en apostrophe. Sert à nommer la personne ou la chose personnifiée à qui l'on s'adresse | | *Robert, viens ici!* |
| | | mot(s) mis en apposition. Sert à préciser un autre nom | | *Michèle, ma copine, est très gentille.* |

suite ➡

# Analyse grammaticale suite

| | NATURE | | | FONCTIONS |
|---|---|---|---|---|
| **PRONOM** | • **personnel**<br>• **possessif**<br><br>*personne genre et nombre* | • **démonstratif**<br>• **indéfini**<br><br>*genre et nombre* | • **relatif**<br><br>*remplace x genre et nombre* | fonctions identiques à celles du nom |

| | NATURE | | EXEMPLES | FONCTION |
|---|---|---|---|---|
| **DÉTERMINANT** | • **article** | – défini<br>– indéfini<br>– partitif | *L'ordinateur.*<br>*Des imprimantes.*<br>*Il n'y a plus de pain.* | détermine le nom x |
| | • **adjectif**<br><br>*genre et nombre* | – possessif<br>– démonstratif<br>– numéral (cardinal ou ordinal)<br>– indéfini<br>– interrogatif ou exclamatif | *Mon ami.*<br>*Cette copine.*<br>*Les deux oiseaux.*<br>*Certains arbres.*<br>*Quel jour? Quelle journée!* | détermine le nom x |

| | NATURE | FONCTIONS | EXEMPLES |
|---|---|---|---|
| **ADJECTIF QUALIFICATIF** | *genre et nombre* | épithète du nom x | *La douce Tao est venue me voir.* |
| | | attribut du sujet x | *Cette invention est géniale.* |
| | | attribut du complément d'objet direct ou du complément d'objet indirect x | *Je la trouve super!*<br>*Il me semble parfait.* |

| | NATURE | FONCTIONS | EXEMPLES |
|---|---|---|---|
| **MOT INVARIABLE** | • **conjonction de**<br>– **coordination**<br>– **subordination** | unit deux mots ou deux propositions de même nature ou de même fonction<br>unit deux propositions de nature différente | *Tania ou Zoé sera gagnante.*<br>*Il pleut et il vente.*<br>*Les élèves réussissent parce qu'ils s'en donnent la peine.* |
| | • **préposition**<br>ou locution prépositive | introduit le complément y au mot x | *Martin parle à sa mère. Le chien de Nellie. Ils fêtent avec leurs amis. L'arbre est devant la maison.* |
| | • **adverbe**<br>ou locution adverbiale | modifie le sens d'un verbe x, d'un adjectif x ou d'un autre adverbe | *Simon nage rapidement. Léa parle bien. Il est très rapide. Elle court très vite.* |
| | • **interjection**<br>ou locution interjective | ne joue pas de rôle grammatical | *Attention! tu vas tomber.* |

# Anglicismes

Les anglicismes sont des mots, des expressions, des constructions, des orthographes propres à la langue anglaise.

L'anglicisme peut être de nature :

**ORTHOGRAPHIQUE** (ex. : *apartement pour **appartement,** *addresse pour **adresse**),

**SÉMANTIQUE** (ex. : *agressif au sens de **dynamique**),

**SYNTAXIQUE** (ex. : *siéger sur un comité au lieu de **siéger à un comité,** *aller en grève au lieu de **faire la grève**).

| | |
|---|---|
| **LES FAUX AMIS** OU **ANGLICISMES SÉMANTIQUES** | Emploi de mots français dans un sens qu'ils ne possèdent pas, sous l'influence de mots anglais qui ont une forme semblable.<br><br>Ex. : *définitivement au sens de **assurément, certainement, sans aucun doute,** *breuvage au sens de **boisson.** |
| **LES CALQUES** | Traduction littérale d'expressions anglaises.<br><br>Ex. : *temps supplémentaire, calque de «overtime» au lieu de **heures supplémentaires,**<br>*prendre pour acquis, calque de «to take for granted» au lieu de **tenir pour acquis,**<br>*à date au lieu de **jusqu'à maintenant, à ce jour,**<br>le *harnachement d'un cours d'eau au lieu de l'**aménagement hydroélectrique.** |
| **LES MOTS ANGLAIS** | Emploi de mots ou d'expressions empruntés directement à l'anglais, alors que le français dispose déjà de mots pour désigner ces notions.<br><br>Ex. : *computer pour **ordinateur,**<br>*opener pour **ouvre-bouteille,**<br>*bumper pour **pare-chocs,**<br>*refill pour **recharge.** |

**Un rôle intermédiaire**

Dans certains cas, l'anglais n'a joué qu'un rôle d'intermédiaire. C'est par le biais de l'anglais que certains mots d'origine étrangère, le latin par exemple, sont utilisés en français, contrairement à l'usage.

Ex. : *item,
*ante meridiem (A.M.),
*senior,
*versus.

# Animaux

Les animaux **domestiques** vivent à la maison, servent aux besoins de l'homme ou à son agrément, et sont nourris, logés et protégés par lui, tandis que les animaux **sauvages** vivent dans les forêts, les déserts, en liberté.

Les animaux **terrestres** vivent sur terre, les animaux **aquatiques,** dans l'eau et les **amphibies,** aussi bien sur terre que dans l'eau.

Les animaux **carnivores** se nourrissent de chair, les **herbivores,** d'herbes, les **frugivores,** de fruits ou de graines, les **granivores,** exclusivement de graines, les **insectivores,** d'insectes et les **omnivores,** à la fois de végétaux et d'animaux.

Les **ovipares** se reproduisent par des œufs, les **vivipares** mettent au monde des petits vivants.

## LES NOMS ET LES BRUITS D'ANIMAUX

Le nom de l'animal désigne généralement et le mâle et la femelle.

Ainsi, on dira *une autruche mâle* pour la différencier de la femelle, *une couleuvre mâle,* ou *un gorille femelle* pour le distinguer du mâle, *une grenouille mâle* ou *femelle.*

Cependant, le vocabulaire des animaux qui nous sont plus familiers comporte parfois des désignations spécifiques du mâle, de la femelle, du petit, des cris ou des bruits, de l'accouplement ou de la mise bas.

| MÂLE | FEMELLE | PETIT | BRUIT |
|---|---|---|---|
| abeille, faux bourdon | reine (mère), ouvrière | larve, nymphe | bourdonne |
| aigle (un) | aigle (une) | aiglon, aiglonne | glapit, trompette |
| alouette mâle | alouette femelle | | turlute |
| âne | ânesse | ânon | brait |
| bouc | chèvre | chevreau, chevrette | bêle, chevrote |
| bœuf, taureau | vache, taure | veau, génisse | meugle, beugle |
| buffle | bufflonne | buffletin, bufflette | mugit, souffle |
| canard | cane | caneton | nasille |
| carpe | carpe | carpeau | elle est muette! |
| cerf | biche | faon | brame |
| chameau | chamelle | chamelon | blatère |
| chat, matou | chatte | chaton | miaule, ronronne |
| cheval, étalon | jument | poulain, pouliche | hennit |
| chevreuil | chevrette | faon, chevrotin | brame |
| chien | chienne | chiot | aboie, jappe, hurle, grogne |
| chouette mâle | chouette femelle | | (h)ulule |
| cigale mâle | cigale femelle | | chante, stridule |
| cigogne mâle | cigogne femelle | cigogneau | craquette |
| cochon, porc, verrat | truie | goret, porcelet, pourceau | grogne, grouine |
| colombe | colombe | | roucoule |
| coq | poule | poussin | chante (coq), glousse (poule) |
| corbeau mâle | corbeau femelle | corbillat | croasse |
| crocodile mâle | crocodile femelle | | pleure, vagit |
| daim | daine | faon | brame |
| dindon | dinde | dindonneau | glouglloute |
| éléphant | éléphante | éléphanteau | barrit |
| faisan | faisane | faisandeau | criaille |
| geai mâle | geai femelle | | cajole |
| grenouille mâle | grenouille femelle | grenouillette, têtard | coasse |

suite ➡

# Animaux suite

| | | | |
|---|---|---|---|
| hibou mâle | hibou femelle | | hulule |
| hirondelle mâle | hirondelle femelle | hirondeau | gazouille, tridule |
| jars | oie | oison | criaille, jargonne |
| lapin | lapine | lapereau | clapit, glapit |
| lièvre | hase | levraut | vagit |
| lion | lionne | lionceau | rugit |
| loup | louve | louveteau | hurle |
| marmotte mâle | marmotte femelle | | siffle |
| merle | merlette | merleau | flûte, siffle |
| moineau mâle | moineau femelle | | pépie |
| mouton, bélier | brebis | agneau, agnelle, agnelet | bêle |
| ours | ourse | ourson | gronde, grogne |
| paon | paonne | paonneau | braille |
| perdrix mâle | perdrix femelle | perdreau | cacabe, glousse |
| perroquet mâle | perroquet femelle | | parle, cause |
| perruche mâle | perruche femelle | | jacasse, siffle |
| pie mâle | pie femelle | | jacasse, jase |
| pigeon | pigeonne | pigeonneau | roucoule |
| pintade mâle | pintade femelle | pintadeau | cacabe, criaille |
| rat | rate | raton | chicote, couine |
| renard | renarde | renardeau | glapit |
| rhinocéros mâle | rhinocéros femelle | | barète, barrit |
| rossignol mâle | rossignol femelle | rossignolet | chante, trille |
| sanglier | laie | marcassin | grumelle, grommelle |
| serpent mâle | serpent femelle | serpenteau | siffle |
| singe | guenon | | crie, hurle |
| souris mâle | souris femelle | souriceau | chicote |
| tigre | tigresse | | râle, feule |
| tourterelle mâle | tourterelle femelle | tourtereau | roucoule |
| zèbre mâle | zèbre femelle | | hennit |

### Les animaux hybrides

Certains animaux proviennent du croisement de deux races, de deux espèces différentes. *Le mulet, la mule proviennent d'une jument et d'un âne.*

### Reproduction des animaux

Pour se reproduire, *l'âne* **saillit,** *le bélier* **lutte,** *l'étalon et le taureau* **montent** *ou* **saillissent,** *le lapin, le lièvre* **bouquinent,** *l'oiseau mâle* **côche,** *les oiseaux* **s'apparient,** *le poisson* **fraye**...

La mise bas se nomme différemment selon les animaux : *la brebis* **agnelle,** *la biche et la chevrette* **faonnent,** *la chatte* **chatte,** *la chèvre* **chevrote,** *la chienne* **chienne,** *la jument* **pouline,** *la lapine* **lapine,** *la louve* **louvette,** *la truie* **cochonne,** *la vache* **vêle**...

A

# Anomalies orthographiques

Certains mots d'une même origine, d'une même famille ont une orthographe distincte.

À titre indicatif, voici quelques mots dont il faut se méfier :

| | | |
|---|---|---|
| asepsie | et | aseptique |
| battu | et | courbatu |
| bonhomme | et | bonhomie |
| combattant | et | combatif |
| concourir | et | concurrence |
| consonne | et | consonance |
| donner | et | donation |
| exclu | et | inclus |
| hypothèse | et | hypoténuse |
| imbécile | et | imbécillité |
| interpeller | et | appeler |
| mamelle | et | mammifère |
| nommer | et | nomination |
| pomme | et | pomiculteur |
| psychose | et | métempsycose |
| relais | et | délai |
| siffler | et | persifler |
| souffler | et | boursoufler |
| spacieux | et | spatial |
| tonnerre | et | détonation... |

Ajoutons que plusieurs mots ont des orthographes multiples, appelées **variantes orthographiques**. Ces mots qui sont souvent empruntés à d'autres langues peuvent s'écrire de deux façons, parfois davantage. Quelques exemples :

| | | |
|---|---|---|
| acupuncture | **ou** | acuponcture |
| cari | **ou** | carry, curry |
| clé | **ou** | clef |
| cuiller | **ou** | cuillère |
| igloo | **ou** | iglou |
| paie | **ou** | paye |

# Antonymes

Les antonymes ou contraires sont des mots de même nature qui ont une signification opposée :

| | | |
|---|---|---|
| beauté | et | laideur |
| chaud | et | froid |
| allumer | et | éteindre |
| rapidement | et | lentement |

☞— Ne pas confondre avec les mots suivants :

– **homonymes,** mots qui s'écrivent ou se prononcent de façon identique sans avoir la même signification :

*air* (mélange gazeux)
*air* (mélodie)
*air* (expression)
*aire* (surface)
*ère* (époque)
*hère* (malheureux)
*hère* (jeune cerf);

– **paronymes,** mots qui présentent une ressemblance d'orthographe ou de prononciation sans avoir la même signification :

*acception* (sens d'un mot)
*acceptation* (accord);

– **synonymes,** mots qui ont la même signification ou une signification très voisine :

*gravement, grièvement.*

Voici quelques exemples d'antonymes :

| | | |
|---|---|---|
| ancien | et | moderne |
| antipathique | et | sympathique |
| baisser | et | monter |
| calmer | et | exciter |
| clair | et | sombre |
| court | et | long |
| difficilement | et | facilement |
| force | et | faiblesse |
| grand | et | petit |
| malheur | et | bonheur |
| minimal | et | maximal |
| public | et | privé |
| sec | et | humide |
| visibilité | et | invisibilité |

V. Tableau – **HOMONYMES.**
V. Tableau – **PARONYMES.**
V. Tableau – **SYNONYMES.**

# Apostrophe

Signe orthographique en forme de virgule qui se place en haut et à droite d'une lettre; l'apostrophe remplace la voyelle finale (*a, e, i*) qu'un mot perd devant un mot qui commence par une voyelle ou un *h* muet. Cette suppression de la voyelle finale, appelée *élision,* n'a pas lieu devant un mot commençant par un *h* aspiré.

*D'abord, je prendrai l'orange, s'il vous plaît, puis le haricot.*

☞ Certains mots qui comportaient une apostrophe s'écrivent maintenant en un seul mot. **Entracte, entraide,** mais **entr'apercevoir, entr'égorger...**

**Les mots qui peuvent s'élider sont :**

| | | |
|---|---|---|
| le<br>la<br>je<br>me<br>te | se<br>ne<br>de<br>que<br>ce | devant une voyelle ou un *h* muet. *J'aurai ce qui convient.* |
| si | | devant *il. S'il fait beau.* |
| lorsque<br>puisque<br>quoique | | devant *il, elle, en, on, un, une, ainsi. Puisqu'il est arrivé.* |
| presque | | devant *île. Une presqu'île,* mais *un bâtiment presque achevé.* |
| jusque | | devant une voyelle. *Jusqu'au matin.* |

V. Tableau – **ÉLISION**.

# Appel de note

Signe noté dans un texte pour signaler qu'une note, un éclaircissement ou une référence bibliographique figure au bas de la page, à la fin du chapitre ou à la fin de l'ouvrage.

L'appel de note est indiqué par un chiffre, une lettre, un astérisque inscrit entre parenthèses ou non, généralement en exposant, après la mention faisant l'objet du renvoi.

Ex. : Boucane n.f. (amérindianisme) Fumée. *Il y a de la boucane quand il y a un incendie*[1].

On s'en tiendra à une présentation uniforme des appels de note tout au long du texte. Si l'on a recours à l'astérisque, il est recommandé de ne pas effectuer plus de trois appels de note par page *(\*), (\*\*), (\*\*\*)*.

1. Gaston DULONG. *Dictionnaire des canadianismes,* Montréal, Larousse, ©1989, p. 57.

☞ Dans ce contexte, le prénom précède le nom de famille contrairement à la bibliographie où le nom de famille est inscrit avant le prénom pour faciliter le classement alphabétique.

V. Tableau – **RÉFÉRENCES BIBLIOGRAPHIQUES**.

# Emprunts à l'**arabe**

La langue arabe a donné au français quelques centaines de mots, directement (**haschisch**) ou par l'entremise de l'espagnol (**guitare**), du portugais (**marabout**), de l'italien (**mosquée**), du provençal (**orange**), du latin (**nuque**) ou du grec (**élixir**).

**Orthographe**

Les mots empruntés à l'arabe sont généralement francisés et prennent la marque du pluriel.

Voici quelques exemples de mots provenant de l'arabe :

| | |
|---|---|
| abricot | haschisch |
| alambic | harem |
| alcool | henné |
| alcôve | jasmin |
| algèbre | khôl |
| alkékenge | kif-kif |
| ambre | laque |
| arak | lilas |
| arsenal | luth |
| assassin | magasin |
| avanie | marabout |
| azimut | massepain |
| babouche | matelas |
| bédouin | matraque |
| bled | méchoui |
| burnous | minaret |
| caïd | moka |
| calife | momie |
| camaïeu | mosquée |
| camphre | mousson |
| carrousel | nacre |
| cheik | nadir |
| chiffre | nénuphar |
| coran | nuque |
| coton | orange |
| couscous | pastèque |
| djellaba | raquette |
| douane | razzia |
| échec | récif |
| élixir | safran |
| émir | salamalecs |
| épinard | salsepareille |
| estragon | sarabande |
| fakir | sofa |
| fanfaron | sorbet |
| fez | sultan |
| gandoura | talisman |
| girafe | tasse |
| goudron | zénith |
| guitare | zéro |

# Article

L'article est un déterminant qui est placé devant le nom pour déterminer d'une façon précise ou imprécise le nom dont on parle. L'article fournit aussi des indications sur le genre et le nombre du nom qu'il détermine. Il existe trois sortes d'articles :  – l'article défini;
– l'article indéfini;
– l'article partitif.

## ARTICLES DÉFINIS

L'article défini désigne d'une façon précise le nom qu'il détermine. Il se rapporte à un objet particulier, il individualise le nom désigné.

| | |
|---|---|
| **Forme simple** | **Le** (devant un nom masculin singulier). *Le chat de sa fille.* |
| | **La** (devant un nom féminin singulier). *La tortue de Julien.* |
| | **L'** (devant un nom masculin ou féminin singulier commençant par une voyelle ou un *h* muet). *L'avion, l'école, l'habit, l'heure.* |
| | ☞— On dit alors qu'il s'agit d'un article élidé. |
| | **Les** (devant un nom masculin ou féminin pluriel). *Les livres de la bibliothèque.* |
| **Forme contractée** | **Au** (combinaison de *à* et de *le* devant un nom masculin singulier). *Au printemps.* |
| | **Du** (combinaison de *de* et de *le* devant un nom masculin singulier). *Je parle du soleil.* |
| | **Aux** (combinaison de *à* et de *les* devant un nom masculin ou féminin pluriel). *J'explique aux garçons et aux filles...* |
| | **Des** (combinaison de *de* et de *les* devant un nom masculin ou féminin pluriel). *Les adresses des cousines et des amis.* |

## ARTICLES INDÉFINIS

L'article indéfini désigne d'une façon imprécise le nom qu'il détermine.

**Un** (devant un nom masculin singulier). *Un garçon.*

**Une** (devant un nom féminin singulier). *Une fille.*

**Des** (devant un nom masculin ou féminin pluriel). *Des enfants.*

☞— L'article indéfini **des** peut être remplacé par **de** quand il est immédiatement suivi d'un adjectif qualificatif ou quand il est placé après un verbe à la forme négative. *Ce sont de beaux chiens. Je n'ai pas de remarques à te faire.*

## ARTICLES PARTITIFS

L'article partitif se place devant le nom des choses qui ne peuvent se compter; il indique une quantité indéterminée de ce qui est désigné par le nom.

**Du** (devant un nom masculin singulier). *Je bois du lait.*

**De la** (devant un nom féminin singulier). *Je mâche de la gomme.*

**De l'** (devant un nom masculin ou féminin singulier commençant par une voyelle ou un *h* muet). *Je mange de l'agneau, j'avale de l'eau, elle verse de l'huile.*

**Des** (devant un nom masculin ou féminin pluriel). *Des cretons et des confitures.*

☞— À la forme négative, les articles partitifs sont remplacés par **de** ou **d'** si le nom peut être précédé de l'expression «aucune quantité de». *Il n'y a pas de poussière, elle n'a pas d'ennuis.*

V. Tableau – **ANALYSE GRAMMATICALE.**
V. Tableau – **DÉTERMINANT.**
V. Tableau – **LE, LA, LES,** ARTICLES DÉFINIS.

V. Tableau – **LE, LA, LES,** PRONOMS PERSONNELS.
V. Tableau – **UN.**

# Attribut

L'attribut est un mot ou un groupe de mots exprimant une qualité, une manière d'être attribuée à un nom ou à un pronom par l'intermédiaire d'un verbe, le plus souvent, le verbe ***être***.

Cependant, plusieurs verbes peuvent jouer le même rôle : ***appeler, choisir, connaître, croire, déclarer, devenir, dire, élire, estimer, faire, nommer, paraître, rester, savoir, sembler, trouver, vouloir...***

### Attribut du sujet

*La maison est grande. Il est médecin. Cet édifice constitue une réussite exemplaire de la nouvelle architecture.*

### Attribut du complément d'objet

*Je le crois fou de toi. Le directeur la trouve compétente. On la nomma trésorière.*

### L'attribut peut être

• **Un nom.** *Les membres l'élurent président. Elle est architecte.*

• **Un adjectif.** *Cette maison est accueillante. Que vous êtes gentil!*

• **Un pronom.** *Ce livre est le tien. Qui es-tu?*

• **Un participe.** *Le jardin est ombragé. Cet enfant est aimé.*

• **Un infinitif.** *Partir, c'est mourir un peu.*

• **Un adverbe.** *Elle est habillée chic. Ce texte est bien.*

• **Une proposition.** *Son objectif est de publier au cours de l'année.*

### Place de l'attribut

L'attribut se place généralement **après** le verbe qui le relie au mot qu'il qualifie. *La fleur est rouge.*

Il est parfois **avant** le verbe, notamment dans les interrogations, dans les phrases où le verbe est sous-entendu, lorsque l'auteur veut mettre l'accent sur l'attribut. *Quel est ton âge? Heureux les insouciants! Grande était sa joie.*

.......................................................

Le nom ***attribut*** a aussi d'autres significations :

• Caractère propre que l'on prête à un être, à une chose. *La faculté de penser est un attribut du genre humain.*

• Symbole attaché à une fonction. *Le caducée est l'attribut des médecins.*

.......................................................

# Avis linguistiques et terminologiques

Publiés à la *Gazette officielle* par la Commission de terminologie de l'Office de la langue française (OLF), les avis linguistiques et terminologiques portent sur des termes qui deviennent obligatoires dans les textes et documents émanant de l'Administration, dans les ouvrages d'enseignement, de formation et de recherche, ainsi que dans l'affichage public.

La responsabilité de normaliser les diverses terminologies et d'en assurer le rayonnement a été confiée à l'OLF par la *Charte de la langue française* sanctionnée le 26 août 1977.

Dans des domaines d'application qui sont tout autant le vocabulaire général que les langues de spécialité, les avis portent sur des terminologies traditionnelles régionales qui entrent en conflit avec des terminologies françaises, des terminologies présentant un phénomène massif d'emprunt, des terminologies en voie d'élaboration appartenant à des domaines de pointe.

En France, le gouvernement a constitué des Commissions de terminologie qui ont pour objet d'étudier le vocabulaire de certains domaines menacés par l'anglicisation et de proposer des termes qui sont publiés au *Journal officiel* et qui, par le fait même, deviennent obligatoires dans les textes et documents de l'Administration.

**Voici quelques exemples d'avis :**

### AFFICHAGE

Depuis 1979, la signalisation des issues de secours dans les lieux et véhicules publics comporte obligatoirement le terme **SORTIE**.

☞ Auparavant, on lisait surtout le mot anglais emprunté au latin «exit».

### ACCENTUATION DES MAJUSCULES

Au cours de la même année, il a été recommandé que les majuscules prennent les **accents**, le **tréma** et la **cédille** lorsque les minuscules équivalentes en ont.

### FÉMINISATION DES TITRES ET FONCTIONS

① Toujours en 1979, l'OLF a publié un avis qui recommandait la **féminisation des titres** dans tous les cas possibles. *Une avocate, une présidente, une architecte, une ministre, une députée, une chirurgienne...*

### SIGNALISATION ROUTIÈRE

En 1980, l'OLF recommandait l'expression **halte routière** pour traduire l'expression anglaise «rest area».

### QUÉBÉCISMES

En 1985, la Commission de terminologie de l'OLF publiait un important *Énoncé d'une politique linguistique relative aux québécismes*.

......................... ① .........................

L'Office de la langue française a publié une brochure intitulée *Titres et fonctions au féminin : essai d'orientation de l'usage* sur la féminisation des titres.

.......................................................

# Conjugaison du verbe **avoir**

## INDICATIF

### Présent

j'ai
tu as
il a
nous avons
vous avez
ils ont

### Passé composé

j'ai eu
tu as eu
il a eu
nous avons eu
vous avez eu
ils ont eu

### Imparfait

j'avais
tu avais
il avait
nous avions
vous aviez
ils avaient

### Plus-que-parfait

j'avais eu
tu avais eu
il avait eu
nous avions eu
vous aviez eu
ils avaient eu

### Passé simple

j'eus
tu eus
il eut
nous eûmes
vous eûtes
ils eurent

### Passé antérieur

j'eus eu
tu eus eu
il eut eu
nous eûmes eu
vous eûtes eu
ils eurent eu

### Futur simple

j'aurai
tu auras
il aura
nous aurons
vous aurez
ils auront

### Futur antérieur

j'aurai eu
tu auras eu
il aura eu
nous aurons eu
vous aurez eu
ils auront eu

## CONDITIONNEL

### Présent

j'aurais
tu aurais
il aurait
nous aurions
vous auriez
ils auraient

### Passé

j'aurais eu
tu aurais eu
il aurait eu
nous aurions eu
vous auriez eu
ils auraient eu

## SUBJONCTIF

### Présent

que j'aie
que tu aies
qu'il ait
que nous ayons
que vous ayez
qu'ils aient

### Passé

que j'aie eu
que tu aies eu
qu'il ait eu
que nous ayons eu
que vous ayez eu
qu'ils aient eu

### Imparfait

que j'eusse
que tu eusses
qu'il eût
que nous eussions
que vous eussiez
qu'ils eussent

### Plus-que-parfait

que j'eusse eu
que tu eusses eu
qu'il eût eu
que nous eussions eu
que vous eussiez eu
qu'ils eussent eu

## IMPÉRATIF

### Présent

aie
ayons
ayez

### Passé

aie eu
ayons eu
ayez eu

## PARTICIPE

### Présent

ayant

### Passé

eu, eue
ayant eu

## INFINITIF

### Présent

avoir

### Passé

avoir eu

# Conjugaison du verbe **chanter**

## INDICATIF

### Présent

je chante
tu chantes
il chante
nous chantons
vous chantez
ils chantent

### Passé composé

j'ai chanté
tu as chanté
il a chanté
nous avons chanté
vous avez chanté
ils ont chanté

### Imparfait

je chantais
tu chantais
il chantait
nous chantions
vous chantiez
ils chantaient

### Plus-que-parfait

j'avais chanté
tu avais chanté
il avait chanté
nous avions chanté
vous aviez chanté
ils avaient chanté

### Passé simple

je chantai
tu chantas
il chanta
nous chantâmes
vous chantâtes
ils chantèrent

### Passé antérieur

j'eus chanté
tu eus chanté
il eut chanté
nous eûmes chanté
vous eûtes chanté
ils eurent chanté

### Futur simple

je chanterai
tu chanteras
il chantera
nous chanterons
vous chanterez
ils chanteront

### Futur antérieur

j'aurai chanté
tu auras chanté
il aura chanté
nous aurons chanté
vous aurez chanté
ils auront chanté

## CONDITIONNEL

### Présent

je chanterais
tu chanterais
il chanterait
nous chanterions
vous chanteriez
ils chanteraient

### Passé

j'aurais chanté
tu aurais chanté
il aurait chanté
nous aurions chanté
vous auriez chanté
ils auraient chanté

## SUBJONCTIF

### Présent

que je chante
que tu chantes
qu'il chante
que nous chantions
que vous chantiez
qu'ils chantent

### Passé

que j'aie chanté
que tu aies chanté
qu'il ait chanté
que nous ayons chanté
que vous ayez chanté
qu'ils aient chanté

### Imparfait

que je chantasse
que tu chantasses
qu'il chantât
que nous chantassions
que vous chantassiez
qu'ils chantassent

### Plus-que-parfait

que j'eusse chanté
que tu eusses chanté
qu'il eût chanté
que nous eussions chanté
que vous eussiez chanté
qu'ils eussent chanté

## IMPÉRATIF

### Présent

chante
chantons
chantez

### Passé

aie chanté
ayons chanté
ayez chanté

## PARTICIPE

### Présent

chantant

### Passé

chanté, ée
ayant chanté

## INFINITIF

### Présent

chanter

### Passé

avoir chanté

# Chiffres

## CHIFFRES ARABES

La numération arabe est composée de 10 chiffres : **0, 1, 2, 3, 4, 5, 6, 7, 8, 9.** Les nombres s'écrivent par tranches de trois chiffres séparées entre elles par un espace (de droite à gauche pour les entiers, de gauche à droite pour les décimales). *1 865 234,626 125*

Le signe décimal du système métrique est la **virgule**. *45,14* (et non plus *\*45.14*). Pour sa part, le Canada a adopté le système international d'unités (SI) et par conséquent, il se conforme à l'usage de la virgule décimale. Si le nombre est inférieur à **1**, la fraction décimale est précédée d'un **0**; on ne laisse pas d'espace ni avant ni après la virgule. *0,38 15,25*

☞ Pour certains documents comptables et financiers, la ponctuation décimale est effectuée à l'aide du **point** et la séparation des milliers, par la **virgule**. Ces exceptions sont autorisées en raison des possibilités de falsification des nombres comportant des blancs.

**Emploi des chiffres arabes :**

- Nombres constituant des quantités complexes. *6 235 étudiants*.

    ☞ Dans un texte de style soutenu, on écrit généralement en toutes lettres les chiffres de **0** à **10**, ainsi que tout nombre qui commence une phrase.

- Dates, heures, âges. *14 décembre 1991, 7 h 25, 40 ans*.

- Numéros d'ordre (adresses, lois, nomenclatures, billets, etc.). *35, rue des Bouleaux, article 2, billet n° 253*.

- Numéros de page, de paragraphe. *p. 354, par. 4*.

- Nombres suivis de symboles d'unités de mesure, de pourcentages, de formats, de symboles d'unités monétaires. *25 °C, 35 cm, 85 %, 100 $*.

V. Tableau – **NOMBRES**.
V. Tableau – **SYMBOLES DES UNITÉS DE MESURE**.
V. Tableau – **SYMBOLES DES UNITÉS MONÉTAIRES**.

## CHIFFRES ROMAINS

La numération romaine est composée de sept lettres majuscules auxquelles correspondent des valeurs numériques.

| I | V | X | L | C | D | M |
|---|---|---|---|---|---|---|
| 1 | 5 | 10 | 50 | 100 | 500 | 1 000 |

Comme les chiffres arabes, les chiffres romains s'écrivent de gauche à droite en commençant par les milliers, puis les centaines, les dizaines et les unités.

Les nombres sont constitués :

- **par addition** : en inscrivant les chiffres plus petits ou égaux à droite des chiffres plus grands.

| XIII | CXX | MCL |
|---|---|---|
| 10 + 3 = 13 | 100 + 10 + 10 = 120 | 1 000 + 100 + 50 = 1 150 |

- **par soustraction** : en inscrivant les chiffres plus petits à gauche des chiffres plus grands.

| IV | XL | CMXCIX |
|---|---|---|
| -1 + 5 = 4 | - 10 + 50 = 40 | (-100 + 1000) (-10 + 100) (-1 + 10) = 999 |

suite ➡

# Chiffres suite

| chiffres arabes | chiffres romains |
|---|---|
| 1 | I |
| 2 | II |
| 3 | III |
| 4 | IV |
| 5 | V |
| 6 | VI |
| 7 | VII |
| 8 | VIII |
| 9 | IX |
| 10 | X |
| 20 | XX |
| 30 | XXX |
| 40 | XL |
| 50 | L |
| 60 | LX |
| 70 | LXX |
| 80 | LXXX |
| 90 | XC |
| 100 | C |
| 200 | CC |
| 300 | CCC |
| 400 | CD |
| 500 | D |
| 600 | DC |
| 700 | DCC |
| 800 | DCCC |
| 900 | CM |
| 1 000 | M |
| 1 534 | MDXXXIV |
| 1 642 | MDCXLII |
| 1 945 | MCMXLV |
| 1 987 | MCMLXXXVII |
| 1 990 | MCMXC |
| 2 000 | MM |

• **par multiplication** : un trait horizontal au-dessus d'un chiffre romain le multiplie par 1 000.

$$\overline{V} = 5\ 000 \qquad \overline{X} = 10\ 000 \qquad \overline{M} = 1\ 000\ 000$$

☞ Le chiffre **I** ne peut être soustrait que de **V** ou de **X**; **X** ne peut être soustrait que de **L** ou de **C**; **C** ne peut être soustrait que de **D** et de **M**.

On ne peut additionner plus de trois unités du même nombre, on recourt alors à la soustraction.

III, IV      XXX, XL
3, 4         30, 40

**Emploi des chiffres romains :**

Noms de siècles et de millénaires. *Le XVI siècle, le II millénaire.*

Noms de souverains et ordre des dynasties. *Louis XIV, III dynastie.*

Numéros d'arrondissements. *Le VI arrondissement de Paris.*

Noms d'olympiades, d'assemblées, de manifestations. *Les XXII Jeux olympiques, Vatican II.*

Divisions d'un texte. *Tome IV, volume III, fascicule IX.*

Pages préliminaires d'un ouvrage. *Avant-propos p. iv.*

Inscription de la date sur un monument, au frontispice d'un livre, au générique d'un film. *MCMLXXXIX.*

☞ Contrairement aux chiffres arabes, les chiffres romains d'une colonne s'alignent verticalement à gauche.

············(1)············

Les fractions sont composées en chiffres :
- dans les taux d'intérêt. *Un taux de 8 1/2 %.*
- dans les échelles de carte. *1/50 000.*
- dans les textes financiers, scientifiques, techniques, mathématiques.

**Fractions décimales**
- Les fractions décimales sont toujours composées en chiffres.
- Le signe décimal, qui est la virgule, s'écrit sans espace. Les unités ne se séparent pas des dixièmes. *15,5 km* (et non *15 km 5*).
- Si le nombre est inférieur à l'unité, la virgule décimale est précédée d'un zéro. *0,75.*

# Collectif

① • **Après un nom collectif suivi d'un complément au pluriel** (par ex. : *la majorité des élèves, la foule des passants)*, le verbe se met au singulier ou au pluriel suivant l'intention de l'auteur qui veut insister sur l'ensemble ou sur la pluralité. *La majorité des élèves réussit* ou *réussissent l'examen.*

**Collectifs courants :** *assemblée, classe, comité, cortège, dizaine, équipe, foule, groupe, lot, majorité, masse, multitude, poignée, quantité, série, totalité...*

• **L'accord du verbe ou de l'adjectif** se fait avec le collectif ou avec le complément du nom collectif suivant l'intention de l'auteur après : *un des, la moitié des, un grand nombre de, un certain nombre de, un petit nombre de...* La moitié des pommes était rouge* ou *étaient rouges.*

② • **L'accord du verbe ou de l'adjectif** se fait avec le complément au pluriel du nom ou du pronom après : *beaucoup de, peu de, nombre de, la plupart de, une espèce de, une quantité de, une infinité de, une sorte de...* La plupart des invités étaient déjà là.*

························ ① ························

*La foule des manifestants a défilé calmement, ont défilé calmement.*

Suivant que l'on insiste sur l'ensemble que l'on considère globalement ou sur la pluralité que l'on considère en détail, le verbe s'accorde avec le collectif ou avec le complément déterminatif au pluriel.

························ ② ························

• *La plupart*, sans complément. Le verbe se met au pluriel quand le nom est construit sans complément et le participe passé s'accorde avec le complément sous-entendu. *La plupart seront retenus.*

• *La plupart +* complément au pluriel. Le verbe se met au pluriel quand le collectif est suivi d'un complément au pluriel et le participe passé s'accorde avec le complément. *La plupart des électeurs se sont inscrits.*

• *La plupart + d'entre nous, d'entre vous.* Le verbe se met à la troisième personne du pluriel et le participe passé s'accorde avec le complément pluriel. *La plupart d'entre nous ont été retenus.*

·················································

# Complément

## COMPLÉMENT DU VERBE

• **Le complément d'objet direct** (c.o.d.) : qui? quoi?

Il désigne l'être ou l'objet sur lequel s'exerce l'action du sujet, sans l'intermédiaire d'une préposition.

Nature du complément d'objet direct :

| | |
|---|---|
| – un nom | *Elle plante **des fleurs.*** |
| – un pronom | *Il ne connaît **personne**.* |
| – un infinitif | *Tu aimes **courir**.* |
| – une proposition | *Je pense **que l'été est fini**.* |

• **Le complément d'objet indirect** (c.o.i.) : à qui? à quoi? de qui? de quoi? par qui? par quoi?

Il désigne l'être ou l'objet sur lequel s'exerce l'action du sujet, par l'intermédiaire d'une préposition.

Nature du complément d'objet indirect :

| | |
|---|---|
| – un nom | *Elle participe **à la fête**.* |
| – un pronom | *Il s'intéresse **à vous**.* |
| – un infinitif | *Préparez-vous **à venir**.* |

• **Le complément circonstanciel** (c.c.) : où? d'où? par où? quand? comment? pourquoi? combien? avec quoi? en quoi?...

Il ajoute une précision à l'idée exprimée par le verbe en indiquant le but, la cause, la distance, l'instrument, la manière, la matière, le poids, l'origine, le prix, le temps, le lieu...

Nature du complément circonstanciel :

| | |
|---|---|
| – un nom | *Le soleil se lève **de ce côté**.* |
| – un pronom | *Tu es partie **avec lui**.* |
| – un infinitif | *Ils économisent **pour acheter une maison**.* |
| – une proposition | *Vous commencerez **quand vous serez prêt**.* |
| – un adverbe | *Il est arrivé **hier**.* |

## COMPLÉMENT DU NOM, DU PRONOM

Il complète l'idée exprimée par un nom ou un pronom en la limitant; il est introduit par la préposition **de** et sert à préciser la possession, le lieu, la matière, l'origine, la qualité, l'espèce, l'instrument, le contenu...

Nature du complément déterminatif :

| | |
|---|---|
| – un nom | *La voiture **de ma sœur**. Celle **de ma sœur**.* |
| – un pronom | *Le souvenir **d'eux**. Celui **de mes amis**.* |
| – un infinitif | *L'art **d'aimer**. À toi **de jouer**.* |
| – un adverbe | *Les neiges **d'antan**. Celles **de jadis**.* |
| – une proposition | *La pensée **qu'elle pourrait être blessée** me terrifiait.* |

# Concordance des temps

Le mode et le temps de la proposition principale définissent le mode et le temps de la proposition subordonnée afin d'exprimer l'**antériorité**, la **simultanéité** ou la **postériorité** de l'action de la proposition subordonnée par rapport à celle de la principale.

| Mode et temps de la proposition principale | Moment de l'action subordonnée par rapport à l'action principale | Mode et temps de la proposition subordonnée | Exemples |
|---|---|---|---|
| **INDICATIF** | | **INDICATIF** | |
| • Présent | – antériorité | imparfait<br>passé simple<br>passé composé<br>plus-que-parfait | *Il pense que tu étais là.*<br>*Il croit que tu fus malade.*<br>*Il dit que tu as été là.*<br>*Il jure que tu avais été là.* |
| | – simultanéité | présent | *Il pense que tu es là.* |
| | – postériorité | futur | *Il croit que tu seras là.* |
| | | **SUBJONCTIF** | |
| | – antériorité | imparfait<br>passé<br>plus-que-parfait | *Il craint qu'elle ne fût là.*<br>*Il doute que tu aies été là.*<br>*Il souhaite qu'elle eût été là.* |
| | – simultanéité | présent | *Il craint que tu ne sois malade en ce moment.* |
| | – postériorité | présent | *Il souhaite que tu restes désormais.* |
| | | **INDICATIF** | |
| • Passé<br>(passé simple,<br>passé composé,<br>passé antérieur,<br>imparfait,<br>plus-que-parfait) | – antériorité | plus-que-parfait | *Il pensait, pensa, a pensé... que tu avais été là.* |
| | – simultanéité | imparfait | *Il croyait que tu étais là.* |
| | | **CONDITIONNEL** | |
| | – postériorité | présent | *Il pensait que tu serais là.* |
| | | **SUBJONCTIF** | |
| | – antériorité | plus-que-parfait | *Il doutait qu'elle eût été là.* |
| | – simultanéité | imparfait | *Il craignait qu'elle ne fût là.* |
| | – postériorité | imparfait | *Il importait qu'elle fût là désormais.* |
| | | **INDICATIF** | |
| • Futur<br>(futur,<br>futur antérieur) | – antériorité | passé simple<br>passé composé<br>imparfait | *Il dira, aura dit... qu'elle fut là.*<br>*Il pensera qu'elle a été là.*<br>*Il croira qu'elle était là.* |
| | – simultanéité | présent | *Il dira qu'elle est là.* |
| | – postériorité | futur | *Il pensera qu'elle viendra.* |

suite ➞

# Concordance des temps suite

|  |  | SUBJONCTIF |  |
|---|---|---|---|
|  | – antériorité | passé simple<br>imparfait<br>plus-que-parfait | *Il doutera qu'elle ait été là.*<br>*Il importera qu'elle fût là.*<br>*Il craindra qu'elle n'eût été malade.* |
|  | – simultanéité | présent | *Il doutera qu'elle vienne.* |
|  | – postériorité | présent | *Il importera qu'elle soit là dorénavant.* |

| CONDITIONNEL |  | SUBJONCTIF |  |
|---|---|---|---|
| • Présent | – antériorité | plus-que-parfait | *Il douterait qu'il eût été sage de venir.* |
|  | – simultanéité | imparfait | *Il importerait qu'elle fût là.* |
|  | – postériorité | imparfait | *Il craindrait qu'elle fût malade.* |
| • Passé | – antériorité | plus-que-parfait | *Il aurait importé qu'elle eût été là.* |
|  | – simultanéité | imparfait | *Il aurait importé qu'elle fût présente à ce moment.* |
|  | – postériorité | imparfait | *Il aurait importé qu'elle fût prévenante désormais.* |

☞ L'emploi du subjonctif imparfait, passé ou plus-que-parfait relève aujourd'hui de la langue écrite ou littéraire. Dans la langue orale, ces temps sont généralement remplacés par le présent aux modes indicatif ou subjonctif.

# Conditionnel

**LE CONDITIONNEL – mode**

Dans une proposition indépendante, le conditionnel peut marquer :

– **un vœu, un désir** (conditionnel présent). *J'aimerais revenir un jour.*

– **un regret** (conditionnel passé). *Qu'elle aurait aimé rester là-bas!*

Dans une proposition principale accompagnée d'une subordonnée à l'imparfait introduite par **si**, le conditionnel exprime :

– **un fait soumis à une condition :** (conditionnel présent) *Si j'étudiais, je réussirais mieux.*<br>(conditionnel passé) *Si tu avais su, tu ne serais pas venu.*

**LE CONDITIONNEL – temps**

Dans une proposition subordonnée, il marque :

– **le futur dans le passé**. *Je croyais qu'ils seraient présents.*

# Conjonction

La conjonction est un mot invariable qui unit deux mots ou deux propositions. Il y a deux types de conjonctions :

• Les **CONJONCTIONS DE COORDINATION** qui unissent des mots ou des propositions de même nature. *Des feuilles et des branches. Soit un fruit, soit un gâteau. Nous irons à la campagne ou nous partirons en voyage.*

• Les **CONJONCTIONS DE SUBORDINATION** qui unissent une proposition subordonnée à une proposition principale. *Nous ferons cette excursion si le temps le permet. À supposer qu'elle vienne, nous serons cinq. Il restera jusqu'à ce que le travail soit terminé.*

• La **LOCUTION CONJONCTIVE** est un groupe de mots qui joue le rôle d'une conjonction. *Jusqu'à ce que.*

## PRINCIPALES CONJONCTIONS ET LOCUTIONS CONJONCTIVES DE COORDINATION

**LIAISON**
et
ni
de plus
en outre
mais aussi
même...

**ALTERNATIVE**
ou
ou bien
ou au contraire
soit... soit
tantôt... tantôt...

**CONSÉQUENCE**
donc
ainsi
alors
aussi
c'est pourquoi
d'où
en conséquence
par conséquent

**EXPLICATION**
c'est-à-dire
par exemple
à savoir...

**CAUSE**
car
en effet
effectivement

**RESTRICTION**
mais
or
pourtant
cependant
néanmoins
toutefois
du moins
du reste...

**SUITE**
alors
enfin
ensuite
puis...

**TRANSITION**
or
bref
d'ailleurs
en somme
peut-être
après tout...

V. Tableau – **QUE**, CONJONCTION.

## PRINCIPALES CONJONCTIONS ET LOCUTIONS CONJONCTIVES DE SUBORDINATION

La conjonction ou la locution conjonctive de subordination définit le mode de la proposition subordonnée. La plupart des conjonctions de cause, de conséquence, de comparaison sont suivies d'un verbe au mode indicatif (**i**) ou au mode conditionnel (**c**); certaines conjonctions de concession, de but, de condition et de temps expriment une incertitude et imposent le mode subjonctif (**s**).

**CAUSE**
comme (ic)
parce que (ic)
puisque (ic)
attendu que (ic)
étant donné que (ic)
vu que (ic)
sous prétexte que (ic)

**BUT**
que (s)
afin que (s)
de peur que (s)
de crainte que (s)
de façon que (s)
de manière que (s)
pour que... (s)

**COMPARAISON**
comme (ic)
de même que (ic)
ainsi que (ic)
plus que (ic)
moins que... (ic)

**CONCESSION**
quoique (s)
bien que (s)
encore que (s)
en admettant que (s)
malgré que (s)
pendant que (ic)
tandis que (ic)
alors que (ic)

**CONDITION**
si (i)
même si (i)
si ce n'est (i)
au cas où (c)
en admettant que (s)
pourvu que (s)

**TEMPS**
quand (ic)
lorsque (ic)
alors que (ic)
après que (ic)
avant que (s)
à mesure que (ic)
au moment où (ic)
aussitôt que (ic)
depuis que (ic)
dès que (ic)
en attendant que (s)
en même temps que (ic)
jusqu'à ce que (s)
pendant que (ic)
tandis que (ic)
une fois que (ic)
toutes les fois que (ic)

**CONSÉQUENCE**
à tel point que (ic)
au point que (ic)
de façon que (ic)
de sorte que (ic)
si bien que (ic)
tellement que... (ic)

# Contre-

Les mots composés avec le préfixe **contre-** s'écrivent avec un trait d'union à l'exception de :

| | |
|---|---|
| ① contravis | contremaître ② |
| contrebalancer | contremander |
| contrebande | contremarche |
| contrebandier | contremarque |
| contrebas | contrepartie |
| contrebasse | contreplaqué |
| contrebasson | contrepèterie |
| contrebatterie | contrepoids |
| contrebattre | contrepoint |
| contrecarrer | contrepoison |
| contrechamp | contreprojet |
| contrechâssis | contreproposition |
| contrecœur | contrescarpe |
| contrecoller | contreseing |
| contrecoup | contresens |
| contredanse | contresignataire |
| contredire | contresigner |
| contredit | contretemps |
| contrefaçon | contrevenant |
| contrefaction | contrevenir |
| contrefaire | contrevent |
| contrefait | contrevérité |
| contrefort | contrordre |

········································ ① ········································

Le verbe *contrebalancer* signifie faire équilibre, compenser. *Notre ardeur contrebalançait notre manque d'expérience.*

Toutefois, les formes *débalancer, débalancé sont inexistantes. *Un régime déséquilibré* (et non *débalancé).

········································ ② ········································

Le verbe *contremander* signifie annuler un ordre. *Il a contremandé son taxi* (et non *cancellé).

··········································································

**Mais** contre-attaque
contre-espionnage
contre-indication
contre-offensive
...
s'écrivent avec un trait d'union.

··········································································

# Correspondance

## VEDETTE

La vedette comprend le titre de civilité écrit en toutes lettres, le plus souvent **Monsieur** ou **Madame**, suivi du prénom (abrégé ou non) et du nom du destinataire. Le titre de fonction, la désignation de l'unité administrative et le nom de l'entreprise sont inscrits à la suite, s'il y a lieu. Figure enfin l'indication de l'adresse au long : numéro suivi d'une virgule, nom générique qui s'écrit avec une minuscule et nom spécifique (nom propre) de la voie publique, nom de la ville ou du village, de la province, du pays, le cas échéant, et du code postal.
V. Tableau – **ADRESSE**.

☞ 1° La vedette s'écrit sans ponctuation en fin de ligne.

2° En français, le titre de **docteur** est réservé aux médecins, celui de **maître**, aux avocats ou aux notaires.

3° Les titres honorifiques et les grades universitaires ne doivent pas figurer immédiatement à la suite du nom dans la vedette. *Madame Hélène Fougère* (et non *Madame Hélène Fougère, architecte*).

4° Il n'est pas dans l'usage d'indiquer le titre professionnel des ministres et des députés ni de faire précéder leur nom de l'adjectif *Honorable*; on écrit **Madame** ou **Monsieur** tout simplement.

## APPEL

L'appel est la formule de salutation qui précède le corps de la lettre. Les formules d'appel les plus courantes sont les titres de civilité **Madame** et **Monsieur**. Le titre de **Mademoiselle** est de moins en moins utilisé sauf si l'on s'adresse à une très jeune fille ou à une personne qui préfère ce titre.

L'appel s'écrit au long avec une majuscule initiale et il est suivi d'une virgule.

Le titre professionnel du destinataire peut éventuellement remplacer le titre de civilité ou s'y joindre; il s'écrit avec une majuscule initiale.

☞ 1° L'adjectif **cher** doit être réservé aux correspondants que l'on connaît bien.

2° En français, seul le titre de civilité compose l'appel : le patronyme n'en fait pas partie, contrairement à l'anglais. *Cher Monsieur* (et non *Cher M. Laforêt*).

3° Lorsque le nom du destinataire n'est pas connu, on utilise l'expression **Mesdames, Messieurs** (et non *À qui de droit*).

☞ Dans le tableau qui suit, x est mis pour le nom et z pour les autres mentions.

| TITRE | VEDETTE | APPEL |
|---|---|---|
| abbé | Monsieur l'Abbé x | Monsieur l'Abbé, ou Mon Père, |
| ambassadeur | Son Excellence Monsieur x Ambassadeur de z | Monsieur l'Ambassadeur, ou (Votre) Excellence, |
| ambassadrice | Son Excellence Madame x Ambassadrice de z | Madame l'Ambassadrice, ou (Votre) Excellence, |
| avocat | Maître x | Maître, |
| avocate | Maître x | Maître, |
| bâtonnier | Monsieur le Bâtonnier x | Monsieur le Bâtonnier, |
| bâtonnière | Madame la Bâtonnière x | Madame la Bâtonnière, |
| cardinal | Son Éminence le Cardinal x ou Monsieur le Cardinal x | Monsieur le Cardinal, ou (Votre) Éminence, |

suite →

# Correspondance suite

| TITRE | VEDETTE | APPEL |
|---|---|---|
| consul | Monsieur x<br>Consul de z | Monsieur le Consul, |
| consule | Madame x<br>Consule de z | Madame la Consule, |
| curé | Monsieur le Curé x<br>ou Monsieur le Curé de z | Monsieur le Curé, ou<br>Mon Père, |
| député | Monsieur x<br>Député de z | Monsieur le Député, |
| députée | Madame x<br>Députée de z | Madame la Députée, |
| évêque | Son Excellence Monseigneur x<br>Évêque ou Archevêque de z | Monseigneur, ou Excellence,<br>ou Mon Père, |
| juge | Madame la Juge x | Madame la Juge, |
| | Monsieur le Juge x | Monsieur le Juge, |
| madame | Madame x | Madame, |
| maire (mairesse) | Madame la Maire (Mairesse) x | Madame la Maire (Mairesse), |
| maire | Monsieur le Maire x | Monsieur le Maire, |
| médecin | Docteur x | Docteur, |
| ministre | Madame x<br>Ministre de z | Madame la Ministre, |
| | Monsieur x<br>Ministre de z | Monsieur le Ministre, |
| monsieur | Monsieur x | Monsieur, |
| notaire | Maître x | Maître, |
| pasteur | Monsieur le Pasteur x | Monsieur le Pasteur, |
| père | Révérend Père x | Révérend Père, |
| premier ministre | Monsieur x<br>Premier Ministre de z | Monsieur le Premier Ministre, |
| première ministre | Madame x<br>Première Ministre de z | Madame la Première Ministre, |
| professeure | Madame x<br>Professeure | Madame, |
| professeur | Monsieur x<br>Professeur | Monsieur, |
| rabbin | Monsieur le Rabbin x | Monsieur le Rabbin, |
| religieuse | Révérende Mère x ou<br>Révérende Sœur x | Révérende Mère, ou<br>Ma Mère, ou Ma Sœur, |
| sénateur | Monsieur x<br>Sénateur | Monsieur le Sénateur, |
| sénatrice | Madame x<br>Sénatrice | Madame la Sénatrice, |
| vicaire | Monsieur le Vicaire x | Monsieur le Vicaire, |

suite ➡

# Correspondance suite

| TITRE | VEDETTE | APPEL |
|---|---|---|
| ☞ Si l'on s'adresse à un couple ou à plusieurs personnes, on peut s'inspirer des exemples suivants : | | |
| mesdames | Mesdames x et x | Mesdames, |
| messieurs | Messieurs x et x | Messieurs, |
| madame et monsieur | Madame et Monsieur x ou<br>Madame x et Monsieur x<br>(si les noms diffèrent) | Madame et Monsieur, |
| monsieur et madame | Monsieur et Madame x ou<br>Monsieur x et Madame x<br>(si les noms diffèrent) | Monsieur et Madame, |
| la ministre et monsieur | Madame la Ministre et Monsieur x | Madame la Ministre et Monsieur, |
| le député et madame | Monsieur le Député et Madame x | Monsieur le Député et Madame, |

☞ La mention de l'appel est reprise de façon identique dans la salutation.

## INTRODUCTION

Les formules usuelles d'introduction sont :

| | | |
|---|---|---|
| *J'ai le plaisir*<br>*l'honneur*<br>*de vous informer que...*<br>*de vous apprendre...*<br>*de vous faire connaître...* | *À la suite*<br>*de notre conversation téléphonique,*<br>*de notre entretien,*<br>*de notre rencontre,*<br>*je vous confirme que...* | *J'ai bien reçu*<br>*votre lettre*<br>*votre documentation*<br>*votre aimable invitation*<br>*et je vous en remercie.* |
| *Permettez-moi*<br>*de vous informer que...*<br>*de vous exprimer...* | *J'ai pris connaissance*<br>*de votre lettre et...*<br>*de votre demande...* | *Vous trouverez ci-joint...*<br><br>*À votre demande, je vous*<br>*transmets...* |
| *Je suis au regret*<br>*de vous aviser que...*<br>*de ne pouvoir...* | *En réponse*<br>*à votre lettre du...,*<br>*à votre demande...,*<br>*je désire vous informer que...* | *Nous avons pris bonne*<br>*note de...*<br>*Nous accusons réception*<br>*de votre commande et*<br>*nous vous en remercions.* |

## CONCLUSION

Les formules les plus usuelles sont :

*Avec tous mes remerciements, je vous prie...*

*Dans l'espoir d'une réponse favorable, je vous prie...*

*Dans l'attente de votre réponse, je vous prie...*

*En espérant que vous serez en mesure de donner suite à ma demande, je vous prie...*

*N'hésitez pas à communiquer avec moi pour tout renseignement complémentaire.*

*Nous espérons que ces renseignements vous seront utiles...*
*que cette réponse est à votre convenance...*

*Je regrette de ne pouvoir donner suite à votre demande et je vous prie...*

suite ➜

# Correspondance suite

## SALUTATION

La formule de salutation est généralement composée des éléments suivants :

> *Veuillez agréer, M..., (Je vous prie d'agréer, M...,)*
> *l'expression (l'assurance)*
> *de mes sentiments*
> *distingués. (les meilleurs.)*

*Veuillez agréer, Monsieur, l'expression de mes sentiments distingués.*
*Je vous prie d'agréer, Maître, mes salutations les meilleures.*
*Veuillez recevoir, Monsieur le Président, l'assurance de mes sentiments respectueux.*
*Je vous prie d'agréer, Madame, mes respectueux hommages.*
*Veuillez recevoir, chère Madame, l'expression de mes sentiments les plus distingués.*
*Recevez, Monsieur, mes meilleures salutations.*
*Veuillez croire, cher ami, à mon meilleur souvenir.*
*Veuillez agréer, Madame, mes salutations distinguées.*

Dans la salutation, il importe de ne faire intervenir qu'un seul sujet. Si la formule commence par un membre de phrase qui concerne l'auteur de la lettre, elle doit se poursuivre avec les mots «je vous prie...» afin de respecter l'équilibre de la phrase. *Avec tous mes remerciements, je vous prie d'agréer, M...* (et non *veuillez agréer...*)

La formule d'appel est reprise dans la formule de salutation et s'inscrit entre deux virgules. *Veuillez agréer, Madame la Présidente, mes salutations distinguées.*

Le titre de civilité s'écrit avec une majuscule.

Si l'on transmet des salutations, des hommages, il n'est pas nécessaire de les faire précéder de «l'expression de».

Les formules «*Sincèrement vôtre», «*Bien vôtre», «*Bien à vous», «*Vos tout dévoués» sont des calques de l'anglais.

V. Tableau – **LETTRE TYPE**.

## SIGNATURE

La signature s'inscrit à gauche ou à droite, selon la disposition, à quelques interlignes en dessous de la formule de salutation.

Si l'auteur de la lettre est titulaire d'un poste de direction, l'indication du titre précède généralement la signature.

La directrice de l'administration,

*Dubois*

Lorraine Dubois

Dans les autres cas, la fonction ou la profession est inscrite après la signature.

*Pierre Giroux*

Pierre Giroux, ingénieur

*Colette Tremblay*

Colette Tremblay,
adjointe administrative

☞ Le nom du signataire et son titre sont séparés par une virgule; la signature manuscrite s'inscrit au-dessus du nom dactylographié.

# Adjectifs de **couleur**

1. Les **adjectifs de couleur simples** s'accordent en genre et en nombre :

| | | | | |
|---|---|---|---|---|
| alezan | brun | glauque | noir | roux |
| beige | châtain | gris | pers | ultraviolet |
| blanc | cramoisi | incarnat | pourpre | vermeil |
| bleu | écarlate | jaune | rose | vert |
| blond | fauve | mauve | rouge | violet… |

Ex. : *des robes mauves, des jupes violettes, des foulards bleus.*

2. Les **adjectifs dérivant d'adjectifs ou de noms de couleur** s'accordent en genre et en nombre :

| | | | | |
|---|---|---|---|---|
| basané | doré | olivâtre | rougeaud | verdoyant… |
| blanchâtre | mordoré | orangé | rouquin | |
| cuivré | noiraud | rosé | rubicond | |

Ex. : *des ciels orangés, des teints olivâtres, des fillettes rouquines.*

3. Les **adjectifs composés** (avec un autre adjectif ou un nom) sont invariables :

| | | | |
|---|---|---|---|
| arc-en-ciel | bleu roi | feuille-morte | noir de jais |
| bleu foncé | bleu turquoise | gorge-de-pigeon | rouge tomate |
| bleu horizon | bleu-vert | gris acier | vert-de-gris |
| bleu marine | café au lait | gris perle | vert amande |
| bleu nuit | cuisse-de-nymphe | jaune maïs | vert olive… |

Ex. : *des écharpes gris perle, une nappe bleu nuit.*

☞ On emploie le trait d'union lorsque deux adjectifs de couleur simples sont juxtaposés. *Des yeux bleu-vert.*

4. Les **noms simples ou composés employés comme adjectifs** pour désigner une couleur sont invariables :

| | | | | |
|---|---|---|---|---|
| abricot | bruyère | crevette | marengo | prune |
| absinthe | caca d'oie | cuivre | marine | réséda |
| acajou | cachou | cyclamen | marron | rouille |
| acier | café | ébène | mastic | rubis |
| agate | canari | émeraude | moutarde | safran |
| amadou | cannelle | épinard | nacre | saphir |
| amarante | caramel | fraise | noisette | saumon |
| ambre | carmin | framboise | ocre | sépia |
| améthyste | carotte | fuchsia | olive | serin |
| anthracite | cassis | garance | or | soufre |
| ardoise | céladon | grenat | orange | souris |
| argent | cerise | groseille | paille | tabac |
| aubergine | chamois | havane | pastel | tango |
| auburn | champagne | indigo | pastèque | terre de Sienne |
| aurore | chocolat | ivoire | pêche | thé |
| avocat | citron | jade | perle | tilleul |
| azur | clémentine | jonquille | pervenche | tomate |
| bistre | cognac | kaki | pétrole | topaze |
| bordeaux | coquelicot | lavande | pie | turquoise |
| brique | corail | lilas | pistache | vermillon… |
| bronze | crème | magenta | platine | |

Ex. : *des tapis ardoise, une ombrelle kaki.*

# Curriculum vitæ

Le curriculum vitæ est un document qui résume les renseignements relatifs à l'état civil, à la formation, aux aptitudes et à l'expérience professionnelle d'une personne.

Sans qu'il y ait de présentation normalisée de ces éléments d'information, on remarque toutefois qu'un nouveau curriculum vitæ – préconisé par les universités américaines – tend à déclasser ou à modifier le document traditionnel qui énumère de façon linéaire les renseignements personnels, ainsi que ceux qui sont liés à la formation et à l'expérience.

Ce nouveau curriculum vitæ qui procède de façon plus synthétique dégage les points forts de l'activité professionnelle et fait ressortir les réalisations et les responsabilités de façon très concrète.

## RÈGLES GÉNÉRALES

### • Présentation

La présentation doit être très soignée tout en restant sobre, sur un papier de bonne qualité et de format standard. Elle est aérée, disposée sur une seule colonne et ne doit pas comporter de texte au verso.

Les thèmes développés sont regroupés en paragraphes précédés de titres afin de permettre une lecture et une compréhension rapides.

☞— Il est inutile de faire imprimer ou relier le document : une photocopie de bonne qualité convient parfaitement.

### • Style

Le style est simple et concis, et le texte doit être exempt de fautes d'orthographe. On évitera les anglicismes, les mots savants, les sigles non suivis de la désignation au long.

Il ne faut jamais perdre de vue que l'objet de ce document est de mettre en valeur des qualités profession-nelles, des réalisations précises; on veillera cependant à éviter les qualificatifs louangeurs ou excessifs.

### • Fond

Le choix des renseignements est capital : seuls les plus pertinents seront retenus. Ainsi, il n'est pas nécessaire de mentionner les études primaires si des diplômes d'études supérieures sont mentionnés.

L'énumération des divers renseignements ne doit pas être fastidieuse et l'accent sera mis sur le degré d'autonomie des postes décrits, sur les réalisations concrètes, sur les mandats précis, sur les résultats obtenus qui pourront être chiffrés, au besoin.

suite ➝

Les trois exemples suivants, qui tiennent compte des règles générales et des diverses possibilités de présen-tation, sont destinés à faciliter la rédaction d'un curri-culum vitæ.

# Curriculum vitæ suite

Curriculum vitæ – style américain

**Frédérique de Blois**

28, rue du Ruisseau
Saint-Lambert (Québec)
H1V 2R8
Tél. 678-1143

**Rédactrice-conceptrice publicitaire**

## Expérience

**1993**   **IMAGE MARKETING INC.**

– Stratégie de création (gagnante d'un Coq d'or du Publicité Club pour la campagne des restaurants McIntosh!)

– Coordination en studio de la réalisation de messages par des maisons de production : messages télévisés des Confitures Beaux Fruits, panneaux des magasins L'Air sage.

– Élaboration du texte des messages multimédias.

– Participation à l'élaboration de la stratégie globale de communication.

– Présentations aux clients éventuels : trois nouveaux comptes en un an!

– Liaison avec les maisons de recherche chargées de l'évaluation des concepts.

**1990-1991**   **COMMUNICATIONS LEROY**

– Élaboration du texte des messages destinés à la radio et à la télévision : les messages de la compagnie Air Z.

– Recherche de noms de produits (Savon Blanc-Neige, Casse-croûte Midi).

– Rédaction de deux rapports annuels (Société Levallois, Groupe Conseil Dubois).

**1986-1988**   **SOCIÉTÉ MULTI-CONCEPTS INC.**

– Participation à l'élaboration de concepts sous la supervision du directeur de la création.

– Rédaction de brochures, de dépliants variés.

– Préparation de textes d'affichage (Groupe Ventilus).

– Conception de textes – matériel de points de vente (Les magasins Simon).

## Formation

**1988-1990**   Maîtrise en administration des affaires (option marketing)
École des Hautes Études Commerciales

**1983-1986**   Baccalauréat en sciences politiques
Université du Québec à Montréal.

suite →

# Curriculum vitæ suite

Curriculum vitæ – style classique

## RENSEIGNEMENTS GÉNÉRAUX

**Nom** : Alain Dupré

**Adresse** : 56, avenue du Manoir
Outremont (Québec) H2V 2Y8

**Téléphone** : 738-2550 (bureau)
393-1525 (domicile)

**Nationalité** : canadienne

**Langues** : français, anglais

---

**FORMATION**   Maîtrise en urbanisme 1972 – Université de Montréal

Baccalauréat en architecture 1969 – Université de Montréal

Baccalauréat ès arts 1965 – Collège Jean-de-Brébeuf

---

**EXPÉRIENCE**

**Depuis 1984**   **Auger, Beaudouin, Rivard et associés**

– Architecte au sein de l'équipe de coopération internationale.
Planification et construction d'un complexe industriel à Abidjan.
Coût de construction : 25 000 000 $
– Chargé de projet – la Tour Maupuis.
Conception et construction d'un immeuble commercial de 16 étages à Montréal.
Coût de construction : 9 000 000 $

**1979-1984**   **Groupe Boulanger, Drouin et Fréchette** – Chargé de projet

– Construction d'immeubles résidentiels à LaSalle.
Coût de construction : 3 000 000 $
– Construction d'une école primaire à Saint-Laurent.
Coût de construction : 3 000 000 $
– Agrandissement de l'hôpital Saint-Georges de Montréal.
Coût de construction : 2 500 000 $

**1975-1979**   **Benoît, Fougère et associés** – Chargé de projet

– Construction et aménagement de la caisse populaire de Val-David.
Coût de construction : 600 000 $
– Construction du bureau de poste de Sainte-Adèle.
Coût de construction : 350 000 $

**1973-1974**   **Rondeau et Dubois** – Stage en architecture

– Conception de plans de détails.
Projet de rénovation de l'école secondaire Saint-Clet.
– Surveillance de chantier.

---

**PRIX**   Prix de l'Ordre des architectes du Québec pour la conception architecturale de l'école Saint-Alexis de Saint-Laurent.

---

## ASSOCIATIONS PROFESSIONNELLES

Ordre des architectes du Québec.
Institut royal d'architecture du Canada.
Chambre de commerce de Montréal.

suite ➡

# Curriculum vitæ suite

Curriculum vitæ – style classique

## RENSEIGNEMENTS GÉNÉRAUX

**Nom** : Christine LEFEBVRE

**Adresse** : 168, rue de l'Église
Montréal (Québec)
H3T 5M7

**Téléphone** : 735-1532 (bureau)
456-7890 (domicile)

**Nationalité** : canadienne

**Langues** : français, anglais

## FORMATION

**Certificat en administration – 1990**
Université du Québec à Montréal

**Cours de bureautique (3 crédits) – 1988**
Cégep de Bois-de-Boulogne

**Diplôme de secrétariat – 1979**
École de secrétariat moderne

**Diplôme d'études secondaires – 1978**
École Lajoie

## EXPÉRIENCE

• **Société Techniplus inc.** – Adjointe administrative – Service à la clientèle – 1990-

– Gestion et mise à jour des fichiers-clients de l'entreprise (450 clients).
– Préparation des publipostages adressés aux groupes cibles du service (envoi trimestriel).
– Gestion des agendas des 4 conseillers commerciaux.
– Supervision de 2 employés de secrétariat (1 sténo-dactylo, 1 agent de bureau).

• **Blouin, Benoît et associés** – Secrétaire de direction – 1987-1988

– Suivi administratif du bureau du directeur général.
– Procès-verbaux des réunions hebdomadaires du conseil de direction.
– Liaison entre le bureau du directeur général et les associés.
– Dactylographie de la correspondance et de divers textes administratifs.

• **Bélanger et Dupont inc.** – Sténo-dactylo principale –1984-1987

– Coordination du groupe de secrétariat (3 personnes).
– Suivi administratif général.
– Comptabilité des honoraires (2 personnes).
– Correspondance française et anglaise.

• **Duguette et Duguette, comptables** – Agent de bureau – 1979-1984

– Dactylographie de la correspondance commerciale française.
– Dépouillement et classement du courrier.
– Accueil des clients.

## LOISIRS

Ski, planche à voile, peinture.

# Date

Dans la correspondance, l'indication de la date est généralement alphanumérique; elle peut comprendre l'article défini ou l'omettre.

*Le 27 janvier 1993* ou *27 janvier 1993*

☞ La date n'est jamais suivie d'un point final; les noms de jours, de mois s'écrivent avec une minuscule.

Si la date comporte la mention d'un **jour de la semaine,** celui-ci est précédé de l'article défini; il n'y a pas de virgule entre le jour de la semaine et le quantième du mois.

*Le mercredi 27 janvier 1993* (et non *Mercredi, le 27 janvier 1993)

Le **millésime** ne doit pas être abrégé.

*1993* (et non *93)

Pour les textes juridiques et commerciaux, le **lieu** doit figurer dans la date; la mention du lieu est alors suivie d'une virgule.

*Montréal, le 27 janvier 1993*

Dans certains documents protocolaires, judiciaires, notariés, etc., la date est composée en toutes lettres.

*Le vingt-sept janvier mil neuf cent quatre-vingt-treize.*

☞ L'usage de l'indication uniquement en chiffres de la date doit être limité aux échanges d'informations entre systèmes de données et à la présentation en colonne ou en tableau. Cette notation procède par ordre décroissant : (année, mois, jour) 1993 01 27 ou 1993-01-27 ou 19930127.

V. Tableau – **LETTRE TYPE.**
V. Tableau – **JOUR.**

· · · · · · · · · · · · · · · · · · · · · · · · · · · · · · · · · · · · · · · · ·

Attention à bien distinguer le sens des trois verbes suivants :

**Dater** : mettre la date. *Dater une lettre, un chèque.*

**Antidater** : inscrire une date antérieure à la date véritable. *Une lettre antidatée.*

**Postdater** : inscrire une date postérieure à la date véritable. *À la signature d'un bail, est-il illégal d'exiger des chèques postdatés?*

· · · · · · · · · · · · · · · · · · · · · · · · · · · · · · · · · · · · · · · · ·

# Adjectif **démonstratif**

L'adjectif démonstratif détermine le nom en montrant l'être ou l'objet désigné par ce nom. Il s'accorde en genre et en nombre avec le nom déterminé.

- au masculin singulier     **ce, cet**        *Ce livre, cet ouvrage, cet homme.*

☞— On emploie **ce** devant un mot commençant par une consonne ou un **h** aspiré, **cet** devant un mot commençant par une voyelle ou un **h** muet.

- au féminin singulier     **cette**        *Cette fleur.*
- au pluriel     **ces**        *Ces garçons et ces filles.*

L'adjectif démonstratif est parfois renforcé par **ci** ou **là** joint au nom par un trait d'union. Alors que **ci** indique la proximité, **là** suggère l'éloignement. *Cette étude-ci* (démonstratif prochain), *cette maison-là* (démonstratif lointain).

Certains adjectifs démonstratifs sont vieillis et ne se retrouvent plus que dans la langue juridique : **ledit, ladite, lesdits, lesdites, audit, à ladite, auxdits, auxdites, dudit, de ladite, desdits, desdites, susdit, susdite, susdits, susdites.**

V. Tableau – **ADJECTIF.**

# Déterminant

Le déterminant est un mot (ou un groupe de mots) qui fournit des indications sur le nom.

En général, le déterminant est placé devant le nom et il est habituellement du même genre et du même nombre que ce nom.

*Les vacances. Ton maillot de bain. Cette plage. Deux palmiers. Quelques souvenirs. Quelles photos? Quel voyage!*

Les déterminants sont :

- des **articles** (définis, indéfinis et partitifs). *L'ordinateur. **Une** imprimante. **De** l'eau.*
- des **adjectifs possessifs. *Ma** bicyclette. **Mon** ami.*
- des **adjectifs démonstratifs. *Cette** copine. **Ces** chiens.*
- des **adjectifs numéraux. *Deux** amoureux.*
- des **adjectifs indéfinis. *Quelques** mois.*
- des **adjectifs interrogatifs** ou **exclamatifs. *Quel** jour? **Quelle** journée!*

V. Tableau – **ANALYSE GRAMMATICALE.**

# Division des mots

La division des mots en fin de ligne doit être évitée autant que possible. Si elle s'avère nécessaire, la coupure des mots se marque par un court tiret, appelé trait d'union, et respecte des règles définies.

## 1. LA DIVISION SYLLABIQUE

On coupe un mot entre les syllabes qui le composent.

- **Une consonne entre deux voyelles :** on coupe après la voyelle.
  *Ha/meçon* ou *hame/çon, ca/pital* ou *capi/tal.*

- **Deux voyelles :** on coupe après la première voyelle.
  *Initi/ale, abrévi/ation.*

☞ Le mot se divise après les voyelles lorsque la deuxième voyelle fait partie d'un élément qui a servi à la formation d'un mot (*Biblio/thèque*, de «biblio», *théo/logie* de «théo») ou lorsque le groupe de voyelles se réduit à un seul son (ai, au, eau, æ, eu, œu, ou, etc.). *Nécessai/rement, heureu/sement.*

- **Deux consonnes :** on coupe entre les consonnes.
  *Éper/dument, fendil/lement.*

☞ Les groupes ch, ph, gn, th sont inséparables. *Ache/miner, ryth/mer.* En début de syllabe, certains groupes de consonnes (bl, cl, fl, gl, pl, br, cr, dr, fr, gr, pr, tr, vr) sont inséparables. *Dé/plorer, in/croyable.*

- **Trois ou quatre consonnes :** on coupe après la première consonne.
  *Désassem/bler, illus/tration.*

## 2. LA DIVISION DES MOTS COMPOSÉS

- Les **mots composés sans trait d'union** peuvent être divisés entre deux mots non reliés par un trait d'union.
  *Pomme/ de terre* ou *pomme de/ terre.*

☞ On ne met pas de traits d'union dans ce cas.

- Les **mots composés comportant un trait d'union** peuvent être divisés à ce trait d'union.
  *Demi-/heure.*

☞ Il est parfois difficile de distinguer entre les traits d'union du mot composé et ceux de la division des mots en fin de ligne.

## 3. LES DIVISIONS INTERDITES

Dans la mesure du possible, on prendra soin de ne pas renvoyer en début de ligne des syllabes muettes ou de moins de trois lettres.
*Directri/ce, validi/té.*

☞ Dans certains ouvrages, notamment dans le cas où le texte est composé sur deux colonnes, il n'est pas toujours possible de respecter cette règle.

- **Abréviations et sigles :** ne jamais diviser une abréviation ou un sigle.
  *O/NU.*

- **Apostrophes :** on ne coupe jamais à l'apostrophe.
  *L'/école.*

suite ➡

# Division des mots suite

- **Initiales et patronymes :** ne pas séparer du nom le prénom abrégé.
  *J./Picard.*

- **Titres de civilité, titres honorifiques** et **patronymes :** ne pas séparer le titre du nom auquel il s'applique.
  *Dr/ Laroche.*

- **Nombres en chiffres arabes ou romains :** ne pas diviser les nombres écrits en chiffres (par contre, les nombres écrits en lettres sont divisibles).
  *153/537, *XX/IV.*

- **Nom déterminé par un nombre :** ne pas séparer un nombre du nom qui le suit ou le précède.
  *Art./2, *Louis/XIV.*

- **Pourcentage :** ne pas séparer un nombre du symbole du pourcentage.
  *75/%.*

- **Points cardinaux :** ne pas séparer l'abréviation du point cardinal du groupe qu'il détermine.
  *Un point situé par 52° de latitude/N.*

- **Date :** ne pas séparer le quantième et le mois ou le mois et l'année.
  *15/janvier 1991 ou 15 janvier/1991.*

- **Symboles des unités de mesure :** ne pas séparer le symbole du nombre qui le précède.
  *12/h, *14/F, *25/kg.*

- **Symboles chimiques, mathématiques,** etc. : ces symboles sont indivisibles.

- **Lettres x et y :** ne pas diviser avant ni après les lettres **x** ou **y** placées entre deux voyelles.
  *Ve/xation, apitoy/er.*

☞— 1° Si ces lettres sont suivies d'une consonne, la division est permise après le **x** ou le **y.** Ex/ténuant, bicy/clette.

　　2° Si la lettre **x** correspond au son «z», la coupure est tolérée. Deu/xième.

- **Etc. :** ne pas séparer l'abréviation *etc.* du mot qui la précède.

- **Syllabe finale muette :** on ne reporte pas à la ligne suivante une syllabe finale muette.
  *Cou/dre, *définiti/ve.*

- **Mots d'une seule syllabe :** ces mots sont indivisibles.
  *Pi/ed.*

- **Mots en fin de page :** on ne peut couper un mot lors d'un changement de page.

# Doublets

Le français, comme plusieurs autres langues, provient du latin. Il est intéressant d'observer qu'un même mot latin a donné parfois deux mots français, différents par la forme et le sens : on appelle ces mots des **doublets**.

Ainsi les noms **parole** et **parabole** viennent du mot latin «parabola». Le premier a subi l'évolution phonétique normale (formation populaire), tandis que le second a été emprunté directement au latin par l'Église (formation savante) pour nommer la parole du Christ.

Voici quelques exemples de doublets :

| forme populaire | – | forme savante |
|---|---|---|
| aigre | et | âcre |
| écouter | et | ausculter |
| chose | et | cause |
| cheville | et | clavicule |
| cueillette | et | collecte |
| combler | et | cumuler |
| dessiner | et | désigner |
| frêle | et | fragile |
| hôtel | et | hôpital |
| entier | et | intègre |
| livrer | et | libérer |
| mâcher | et | mastiquer |
| métier | et | ministère |
| œuvrer | et | opérer |
| parole | et | parabole |
| poison | et | potion |
| porche | et | portique |
| recouvrer | et | récupérer |
| sieur | et | seigneur |
| sembler | et | simuler |

# Élision

L'élision est le remplacement d'une voyelle finale (*a, e, i*) par une apostrophe devant un mot commençant par une voyelle ou un *h* muet. Devant un *h* aspiré cependant, il n'y a pas d'élision.

*L'arbre, l'hôpital,* mais *le homard.*

**Les mots qui peuvent s'élider sont :**

| | | |
|---|---|---|
| le | se | |
| la | ne | |
| je | de | devant une voyelle ou un *h* muet. *J'aurai ce qui convient.* |
| me | que | |
| te | ce | |

si  |  devant *il. S'il fait beau.*

lorsque
puisque  |  devant *il, elle, en, on, un, une, ainsi. Puisqu'il est arrivé.*
quoique

presque  |  devant *île. Une presqu'île,* mais *un bâtiment presque achevé.*

jusque  |  devant une voyelle. *Jusqu'au matin.*

## Élisions interdites

• Devant **huit, un, onze.**

*Une quantité de huit grammes. Des colis de un kilo, de onze kilos.*

☞ L'élision ne peut se faire devant l'adjectif numéral **un**, mais elle peut se faire devant l'article indéfini. *Plus d'un voyageur a passé ici.*

• Devant **oui.**

*Les millions de oui.*

• Devant les mots d'origine étrangère commençant par un **y.**

*Le yogourt, le yacht.*

☞ L'élision doit se faire avec les noms propres selon les mêmes règles qu'avec les noms communs. *Le talent d'Étienne.*

V. Tableau – **APOSTROPHE.**

# En, préposition

La préposition *en* marque un rapport de lieu, de temps, une notion de forme, de matière, de manière. Elle s'emploie devant un nom qui n'est pas accompagné d'un article défini ou devant un pronom. *Ils voyagent en avion, les enfants sont en retard. J'ai confiance en vous.*

☞ Devant un nom précédé d'un article défini, d'un possessif, d'un démonstratif, on emploiera plutôt la préposition *dans. Ils sont allés dans la ville d'Oka. Mettre les mains dans ses poches. Dépose le livre dans cette boîte.*

• RAPPORT DE LIEU

La préposition indique le lieu où l'on est, le lieu où l'on va. *Les étudiants sont en classe. Ils iront en ville.*

| **en + nom géographique** | – Nom féminin de pays, de région. *En France, en Gaspésie.* |
| | – Nom masculin de pays commençant par une voyelle. *En Équateur.* |
| | ☞ Devant un nom masculin de pays, d'État commençant par une consonne, on emploiera plutôt l'article contracté *au. Au Québec.* |
| | – Nom féminin de grande île. *En Martinique.* |
| | ☞ Devant un nom féminin de petite île, ou devant un nom masculin d'île, on emploiera plutôt *à. À Chypre.* |
| | ☞ Devant un nom de ville, on emploiera la préposition *à. À Trois-Rivières.* |

• RAPPORT DE TEMPS

La préposition a le sens de *durant, pendant. En été, il fait bon vivre à la campagne. En 1992, on fêtera le 350$^e$ anniversaire de la fondation de Montréal.*
☞ La préposition peut aussi marquer un intervalle de temps. *Elle a écrit sa thèse en deux ans.*

• NOTION DE FORME, DE MATIÈRE, DE MANIÈRE

La préposition sert à marquer l'état, la forme, la manière. *Il est en attente. Un toit en ardoise. Des cheveux en brosse.*

| **en + matière** | *Une colonne en marbre, de marbre, une sculpture en bois, de bois.* |
| | ☞ Il est possible d'utiliser les prépositions *en* ou *de* pour introduire le complément de matière. Toutefois au sens figuré, on emploiera surtout la préposition *de. Une volonté de fer.* |
| **en + singulier ou pluriel** | *Un lilas en fleur* ou *en fleurs, un texte en italique, une maison en flammes.* |
| | ☞ Il n'y a pas de règle particulière pour le nombre du nom précédé de *en.* C'est le sens qui le dictera. |

• GÉRONDIF

La préposition suivie du participe présent constitue le gérondif qui exprime une circonstance de cause, de temps, de manière. *En skiant, elle s'est fracturé la jambe. Elle écrit en chantant.*

☞ Il importe que le sujet du participe présent soit aussi le sujet du verbe de la proposition principale.
Par exemple : *Ce n'est pas en me le dictant que tu me feras comprendre ce problème.*
Dans cette phrase, c'est la même personne qui dicte et qui tente de faire comprendre.
Exemple de construction fautive avec deux sujets différents : *\*Ce n'est pas en me le dictant que je comprendrai ce problème.*

suite ➞

# En, préposition suite

**• LOCUTIONS**

① La préposition sert à former des locutions prépositives, conjonctives ou adverbiales.

| Locutions prépositives | Locutions conjonctives | Locutions adverbiales |
|---|---|---|
| en cas de | en admettant que | en bas |
| en comparaison de | en attendant que | en dedans |
| en deçà de | en même temps que | en définitive |
| en dehors de | en sorte que | en dehors |
| en dépit de | en supposant que | en dessous |
| en direction de | en tant que | en dessus |
| en face de | | en effet |
| en guise de | | en hâte |
| en présence de | | en haut |
| en qualité de | | en outre |
| en raison de | | en retour |
| en réponse à | | en revanche |
| en signe de | | en vain |
| en sus de | | en vérité |
| en voie de | | en vitesse |
| en vue de | | |

V. Tableau – **EN,** PRONOM.

.......................... ① ..........................

Une locution est un groupe de mots ayant une fonction grammaticale particulière.

En plus des locutions **prépositives**, **conjonctives** et **adverbiales**, on trouve les locutions **verbales**, **adjectives**, **nominales**, **pronominales**, **interjectives**.

Des illustrations de chacune des catégories figurent au tableau – **LOCUTIONS.**

...................................................

# **En**, pronom

**Pronom personnel de la troisième personne**

• Le pronom **en** représente une chose, une idée, parfois un animal et signifie **de ce, de ces, de cette, de cela, de lui, d'elle.** *Elle était à Québec, elle en est revenue hier. Ce projet est emballant, ils en parlent constamment.*

• Le pronom **en** représente des noms de choses, d'idées et remplace le possessif. *Les touristes aiment les forêts et les lacs; ils en apprécient le calme et la beauté.*

• Le pronom **en** représente des noms d'animaux. L'emploi du pronom **en** est recommandé, mais on observe également l'emploi du possessif. *Le cheval a une belle crinière; j'en admire la couleur,* ou encore *j'admire sa couleur.*

• Le pronom **en** représente parfois des personnes lorsqu'il est complément d'un pronom numéral ou d'un pronom indéfini et dans la langue littéraire. *A-t-il des collègues compétents? Il en a plusieurs. Heureux roi qui aime son peuple, qui en est aimé [...]* Fénelon. Dans la langue courante, on emploie alors les adjectifs possessifs **son, sa, ses.** *Il admire cette amie et apprécie son courage.*

**Impératif** + *en*

Le pronom **en** employé avec un pronom personnel se place après ce pronom.
*Des livres, écris-nous-en plusieurs. Souviens-t'en.*

☞ Le pronom **en** est joint au pronom personnel par un trait d'union. Lorsque le pronom **en** suit un verbe à la deuxième personne du singulier de l'impératif qui se termine par un *e,* ce verbe prend un *s* euphonique. *Respectes-en les conditions.*

**Accord du participe passé avec *en***

La plupart des auteurs recommandent l'invariabilité du participe passé précédé du pronom **en.**
*Il a dessiné plus d'immeubles qu'il n'en a construit. Ce sont des fleurs carnivores, en aviez-vous déjà vu?*

☞ On remarque cependant un usage très indécis où l'on accorde parfois le participe passé avec le nom représenté par **en.** «Mais les fleurs, il n'en avait jamais vues.» (Marcel Proust, cité par Grevisse). Pour simplifier la question, il semble préférable d'omettre le pronom si celui-ci n'est pas indispensable au sens de la phrase ou de choisir l'invariabilité du participe passé.

V. Tableau – **EN,** PRÉPOSITION.

. . . . . . . . . . . . . . . . . . . . . . . . . ① . . . . . . . . . . . . . . . . . . . . . . . .

Le pronom est un mot qui représente généralement un nom ou une proposition.

On trouvera au tableau – **PRONOM**, les six sortes de pronoms: **personnel**, **possessif**, **démonstratif**, **indéfini**, **relatif**, **interrogatif**.

. . . . . . . . . . . . . . . . . . . . . . . . . . . . . . . . . . . . . . . . . . . . . . . . .

# Énumération

## LES ÉLÉMENTS D'UNE ÉNUMÉRATION

### – Présentation horizontale

*Les chiffres romains sont composés des symboles suivants : I, V, X, L, C, D, M.*

☞ On met une virgule entre chaque élément de l'énumération et un point à la fin.

### – Présentation verticale

*Cet ouvrage traite des difficultés du français :*

| | | | | |
|---|---|---|---|---|
| *1. orthographe;* | ou | *1- orthographe;* | ou | *1) orthographe;* |
| *2. grammaire;* | | *2- grammaire;* | | *2) grammaire;* |
| *3. conjugaison.* | | *3- conjugaison.* | | *3) conjugaison.* |

☞ Les éléments sont suivis d'un point-virgule à l'exception du dernier élément qui est suivi d'un point. On pourrait également ne pas mettre de ponctuation à la suite des éléments.

## LES PARTIES D'UN TEXTE

En vue de découper un texte ou de mettre l'accent sur le nombre ou l'ordre des éléments, on a recours à divers jalons énumératifs : des lettres, des numéros ou d'autres signes (tiret, point, etc.).

☞ Une règle est importante : quel que soit le type de jalon retenu, il importe de respecter tout au long du document le même ordre, la même gradation de repères énumératifs.

**JALONS COURAMMENT UTILISÉS**

– les lettres minuscules *a), b), c);*

– les adjectifs numéraux ordinaux du latin sous leur forme abrégée $1^o, 2^o, 3^o;$

– les lettres majuscules *A., B., C.;*

– les chiffres romains *I, II, III;*

– la numérotation décimale *1., 1.1., 1.1.1., 1.2., 1.3., 2., 2.1.*

Pour une ***énumération simple,*** on utilise un seul signe énumératif : le tiret, les majuscules, les adjectifs numéraux latins, par exemple.

Pour une ***énumération double,*** on recourt à deux types de signes; pour une ***énumération triple,*** à trois types, et ainsi de suite.

| Simple | Double | Triple | Quadruple | Complexe |
|---|---|---|---|---|
| a) | a) | A. | I- | 1. |
| b) | 1° | a) | A. | 1.1. |
| c) | 2° | 1° | a) | 1.1.1. |
| d) | 3° | 2° | 1° | 1.1.2. |
| e) | b) | b) | 2° | 1.2. |
| f) | 1° | 1° | b) | 1.2.1. |
| g) | 2° | 2° | B. | 1.2.2. |
| h) | 3° | B. | II- | 1.3. |
| i) | c) | a) | A. | 2. |

☞ Il est préférable de se limiter à trois niveaux de subdivision (avec un maximum de dix sous-classes), si l'on recourt à la numération décimale afin de ne pas trop alourdir la structuration.

# Enveloppe

Gabrielle Girard
4077, rue Saint-Hubert
Montréal (Québec)
H2L 4A7

① ②

RECOMMANDÉ

③

Monsieur Georges Dubé
775, chemin des Vieux-Moulins
L'Acadie (Québec)
J0J 1H0

④

⑤

1. Adresse de l'expéditeur.
2. Espace réservé aux timbres.
3. Les mentions PERSONNEL, CONFIDENTIEL, RECOMMANDÉ s'écrivent en lettres majuscules dans cet espace.
4. Adresse du destinataire. Selon la longueur de l'adresse, celle-ci peut chevaucher les sections 3 et 4. Le code postal s'écrit seul sur la dernière ligne. Il doit absolument apparaître dans cette section.
5. Espace réservé au code du tri mécanique de la Société canadienne des postes.

*Normes de la Société canadienne des postes.*

La désignation du destinataire comprend un titre de civilité (le plus souvent **Monsieur** ou **Madame**) suivi du prénom (abrégé ou non) et du nom de la personne. *Madame Laurence Dubois. Monsieur Philippe Larue.* Il est recommandé d'inscrire le titre de civilité au long sur l'enveloppe ainsi qu'au début de la lettre.

Pour les lettres adressées à l'étranger, il est préférable d'inscrire le nom du pays en majuscules et de le souligner. Dans la mesure du possible, il importe de se conformer aux usages du pays de destination.

Time Magazine
541 North Fairbanks Court
Chicago
Illinois
ÉTATS-UNIS 60611

# Être

**INTRANSITIF**

Exister, avoir une réalité. *Je pense, donc je suis.* (Descartes) *L'heureux temps des vacances n'est plus.*

**AUXILIAIRE**

Le verbe *être* sert à conjuguer :

  – les verbes passifs dans tous leurs temps et modes. *Elle est aimée.*
  – les temps composés des verbes pronominaux. *Ils se sont habillés.*
  – les temps composés de certains verbes intransitifs. *Le lac est dégelé.*

**Être en train de** + **infinitif.** Le verbe marque une action en voie d'accomplissement. *Les enfants sont en train de manger.*

**Être sur le point de** + **infinitif.** Le verbe marque un futur proche. *Je suis sur le point de partir.*

**VERBE RELIANT L'ATTRIBUT AU SUJET**

Le verbe *être* établit la relation entre le sujet et l'attribut. *Les érables sont magnifiques.*

**Locutions**

• **Ce** + **être.** La locution sert à présenter quelqu'un, quelque chose. Le verbe s'emploie au pluriel s'il est suivi d'un nom au pluriel. *Ce sont des pommes vertes* (et non *\*c'est des pommes*).

Exceptions : – devant l'indication d'une quantité. *C'est trois dollars.*
              – devant ***nous*** ou ***vous.*** *C'est nous qui partirons les premiers.*

☞ Devant ***eux, elles,*** on emploie le verbe *être* au pluriel à la forme affirmative, mais on tolère le verbe *être* au singulier à la forme négative ou interrogative. *Ce sont eux! Ce n'est pas eux!*

• **Être à**
  – Appartenir. *Cette maison est à elle.*
  – Être en train de. *Ils sont toujours à se vanter.*
  – S'occuper à. *Être à son travail.*
  – Se trouver. *Ils seront à Paris en mai.*
  – Tendre vers. *Le temps est à la neige.*

• **Être de**
  – Faire partie de. *Être de la fête, d'une société donnée.*
  – Provenir. *Geneviève est de Montréal.*

• **Être pour.** Donner son soutien à. *Elle est pour l'indépendance du Québec.*

• **Être sans.** N'avoir pas. *Il est sans le sou.*

• **Fût-ce, ne fût-ce que.** Ne serait-ce que. *Si vous aviez pu venir, ne fût-ce que deux heures.* Attention à l'accent circonflexe sur le ***u.***

• **Il est.** (Litt.) Il y a. *Il est des souvenirs remplis de tendresse.*

• **N'être pas sans savoir quelque chose.** Ne pas l'ignorer. *Vous n'êtes pas sans savoir* (et non sans *\*ignorer*).

• **S'il en est, s'il en fut,** locution figée. Cette locution qui correspond à un superlatif s'écrit sans accent circonflexe sur le ***u*** (forme du passé). *Elsa, une enfant douée s'il en fut.*

# Conjugaison du verbe **être**

## INDICATIF

| *Présent* | *Passé composé* |
|---|---|
| je suis | j'ai été |
| tu es | tu as été |
| il est | il a été |
| nous sommes | nous avons été |
| vous êtes | vous avez été |
| ils sont | ils ont été |

| *Imparfait* | *Plus-que-parfait* |
|---|---|
| j'étais | j'avais été |
| tu étais | tu avais été |
| il était | il avait été |
| nous étions | nous avions été |
| vous étiez | vous aviez été |
| ils étaient | ils avaient été |

| *Passé simple* | *Passé antérieur* |
|---|---|
| je fus | j'eus été |
| tu fus | tu eus été |
| il fut | il eut été |
| nous fûmes | nous eûmes été |
| vous fûtes | vous eûtes été |
| ils furent | ils eurent été |

| *Futur simple* | *Futur antérieur* |
|---|---|
| je serai | j'aurai été |
| tu seras | tu auras été |
| il sera | il aura été |
| nous serons | nous aurons été |
| vous serez | vous aurez été |
| ils seront | ils auront été |

## CONDITIONNEL

| *Présent* | *Passé* |
|---|---|
| je serais | j'aurais été |
| tu serais | tu aurais été |
| il serait | il aurait été |
| nous serions | nous aurions été |
| vous seriez | vous auriez été |
| ils seraient | ils auraient été |

## SUBJONCTIF

| *Présent* | *Passé* |
|---|---|
| que je sois | que j'aie été |
| que tu sois | que tu aies été |
| qu'il soit | qu'il ait été |
| que nous soyons | que nous ayons été |
| que vous soyez | que vous ayez été |
| qu'ils soient | qu'ils aient été |

| *Imparfait* | *Plus-que-parfait* |
|---|---|
| que je fusse | que j'eusse été |
| que tu fusses | que tu eusses été |
| qu'il fût | qu'il eût été |
| que nous fussions | que nous eussions été |
| que vous fussiez | que vous eussiez été |
| qu'ils fussent | qu'ils eussent été |

## IMPÉRATIF

| *Présent* | *Passé* |
|---|---|
| sois | aie été |
| soyons | ayons été |
| soyez | ayez été |

## PARTICIPE

| *Présent* | *Passé* |
|---|---|
| étant | été |
|  | ayant été |

## INFINITIF

| *Présent* | *Passé* |
|---|---|
| être | avoir été |

# Faire

Verbe dont l'emploi est le plus fréquent en français, c'est le verbe d'action par excellence. Il est toutefois souvent possible de remplacer ce verbe «à tout faire» par un verbe plus précis.

**TRANSITIF**
- Créer, produire. *Faire un bouquet, un dessin.*
- Accomplir, exécuter. *Faire un travail. La randonnée que j'ai faite.*
- Former, composer. *Deux et deux font quatre.*
- Jouer le rôle de. *Elle faisait celle qui n'entend pas.*
- ☞ Le verbe ***faire*** se conjugue avec l'auxiliaire ***avoir*** aux formes transitives et intransitives et avec l'auxiliaire ***être*** à la forme pronominale.

**INTRANSITIF**
- Agir. *Elle a fait de son mieux. Il n'y a rien à faire.*
- (Impers.) *Il fait nuit. Cela ne se fait pas!*
- ☞ Le participe passé du verbe impersonnel est invariable.

**PRONOMINAL**
- Arriver, venir à être. *Elle s'est faite belle. Ils se sont fait élire. Elle s'est fait couper les cheveux. Comment se fait-il que vous soyez en retard?*
- ☞ Devant un infinitif, la forme pronominale du participe passé est toujours invariable. La forme pronominale se conjugue avec l'auxiliaire ***être.***
- ***Se faire fort de.*** S'engager à. *Elle se fait fort de réussir.*
- ☞ En ce sens, l'adjectif ***fort*** est invariable.
- ***Se faire fort de.*** Tirer sa force de. *Elle se fait forte de leur appui.*
- ☞ En ce sens, l'adjectif ***fort*** est variable.

**SEMI-AUXILIAIRE**
- **Faire + infinitif.** Cette construction indique qu'une action ordonnée par le sujet est exécutée par quelqu'un d'autre. *Elle fait travailler dix personnes.*
- ☞ Le participe passé reste invariable. *Les personnes qu'elle a fait travailler.*
- **Faire + infinitif.** Être la cause. *Cette tisane fait dormir.*
- **Faire + verbe défectif.** *Elle faisait éclore des fleurs.*

**IMPERSONNEL**
- (Pour préciser les conditions atmosphériques.) *Il fait froid, il fait du vent et du soleil.*
- ☞ Le participe passé du verbe impersonnel reste invariable. *Les froids qu'il a fait cet hiver. Quelle chaleur il a fait hier!*

**Locutions :**
- ***À tout faire.*** Non spécialisé. *Un menuisier à tout faire.*
- ***Autant que faire se peut.*** Dans la mesure du possible.
- ***Avoir affaire, avoir à faire.*** On écrit plus souvent ***avoir affaire*** que ***avoir à faire*** sans changement de sens, sauf dans le cas où la locution a un complément d'objet direct. *Elle a à faire une dissertation* (on peut à ce moment inverser les mots). *Elle a une dissertation à faire. Il a affaire à forte partie.*
- ***Ce faisant.*** En faisant cela. Cette locution est vieillie.
- ***Faire affaire.*** Traiter, conclure un marché. *Nous faisons affaire avec ce fournisseur depuis peu.*
- ***N'avoir que faire de.*** Ne faire aucun cas. *Il n'a que faire de ces critiques.*
- ***Ne faire que.*** Ne pas cesser de. *Elle ne fait que dormir.*
- ***Tant qu'à faire.*** (Fam.) Puisqu'il le faut.

# Conjugaison du verbe **faire**

## INDICATIF

### Présent

je fais
tu fais
il fait
nous faisons
vous faites
ils font

### Passé composé

j'ai fait
tu as fait
il a fait
nous avons fait
vous avez fait
ils ont fait

### Imparfait

je faisais
tu faisais
il faisait
nous faisions
vous faisiez
ils faisaient

### Plus-que-parfait

j'avais fait
tu avais fait
il avait fait
nous avions fait
vous aviez fait
ils avaient fait

### Passé simple

je fis
tu fis
il fit
nous fîmes
vous fîtes
ils firent

### Passé antérieur

j'eus fait
tu eus fait
il eut fait
nous eûmes fait
vous eûtes fait
ils eurent fait

### Futur simple

je ferai
tu feras
il fera
nous ferons
vous ferez
ils feront

### Futur antérieur

j'aurai fait
tu auras fait
il aura fait
nous aurons fait
vous aurez fait
ils auront fait

## CONDITIONNEL

### Présent

je ferais
tu ferais
il ferait
nous ferions
vous feriez
ils feraient

### Passé

j'aurais fait
tu aurais fait
il aurait fait
nous aurions fait
vous auriez fait
ils auraient fait

## SUBJONCTIF

### Présent

que je fasse
que tu fasses
qu'il fasse
que nous fassions
que vous fassiez
qu'ils fassent

### Passé

que j'aie fait
que tu aies fait
qu'il ait fait
que nous ayons fait
que vous ayez fait
qu'ils aient fait

### Imparfait

que je fisse
que tu fisses
qu'il fît
que nous fissions
que vous fissiez
qu'ils fissent

### Plus-que-parfait

que j'eusse fait
que tu eusses fait
qu'il eût fait
que nous eussions fait
que vous eussiez fait
qu'ils eussent fait

## IMPÉRATIF

### Présent

fais
faisons
faites

### Passé

aie fait
ayons fait
ayez fait

## PARTICIPE

### Présent

faisant

### Passé

fait, te
ayant fait

## INFINITIF

### Présent

faire

### Passé

avoir fait

# Féminisation des titres

Depuis l'accès des femmes à de nouvelles fonctions et devant le désir de celles-ci de voir leurs appellations d'emploi refléter cette nouvelle réalité, il est recommandé d'utiliser les formes féminines des titres de fonctions.

Cette féminisation peut se faire :

> **• Soit à l'aide du féminin courant.**
>
> *Avocate, directrice, technicienne.*

> **• Soit à l'aide du terme épicène marqué par un déterminant féminin.**
>
> *Une journaliste, une architecte, une astronome, une ministre.*

☞ L'adjectif **épicène** se dit d'un mot qui conserve la même forme au masculin et au féminin.

> **• Soit par la création spontanée d'une forme féminine qui respecte les règles du français.**
>
> *Policière, chirurgienne, banquière, navigatrice, professeure.*

# Emplois **figurés**

LES PRINCIPAUX EMPLOIS FIGURÉS SONT :

| | |
|---|---|
| La **métonymie** : | – la cause pour l'effet. *La route a encore tué ce week-end* (pour *les accidents de la route*). |
| | – l'effet pour la cause. *Les froides éclaircies de janvier.* |
| | – le contenant pour le contenu. *Boire un verre.* |
| La **synecdoque** : | – l'espèce pour le genre. *Les mortels* (pour *les hommes*). |
| | – la partie pour le tout. *Être sans toit* (pour *être sans maison*). |
| | – le singulier pour le pluriel. *Le cultivateur est un lève-tôt* (pour *les cultivateurs*). |
| La **comparaison** : | Rapprochement d'objets, d'idées. *Solide comme le roc.* |
| La **métaphore** : | Comparaison implicite. *L'hiver de la vie* (pour *la vieillesse*). |
| L'**allégorie** : | Personnification de choses abstraites. *L'aurore aux doigts de rose.* |
| L'**hyperbole** : | Exagération volontaire. *Je meurs de faim.* |
| La **litote** : | Expression qui dit peu pour exprimer beaucoup. *Elle n'est pas idiote* (pour *elle est très intelligente*). |
| L'**euphémisme** : | Adoucissement d'une expression trop brutale. *Il s'est endormi* (pour *il est mort*). |

# Conjugaison du verbe **finir**

## INDICATIF

### Présent

je finis
tu finis
il finit
nous finissons
vous finissez
ils finissent

### Passé composé

j'ai fini
tu as fini
il a fini
nous avons fini
vous avez fini
ils ont fini

### Imparfait

je finissais
tu finissais
il finissait
nous finissions
vous finissiez
ils finissaient

### Plus-que-parfait

j'avais fini
tu avais fini
il avait fini
nous avions fini
vous aviez fini
ils avaient fini

### Passé simple

je finis
tu finis
il finit
nous finîmes
vous finîtes
ils finirent

### Passé antérieur

j'eus fini
tu eus fini
il eut fini
nous eûmes fini
vous eûtes fini
ils eurent fini

### Futur simple

je finirai
tu finiras
il finira
nous finirons
vous finirez
ils finiront

### Futur antérieur

j'aurai fini
tu auras fini
il aura fini
nous aurons fini
vous aurez fini
ils auront fini

## CONDITIONNEL

### Présent

je finirais
tu finirais
il finirait
nous finirions
vous finiriez
ils finiraient

### Passé

j'aurais fini
tu aurais fini
il aurait fini
nous aurions fini
vous auriez fini
ils auraient fini

## SUBJONCTIF

### Présent

que je finisse
que tu finisses
qu'il finisse
que nous finissions
que vous finissiez
qu'ils finissent

### Passé

que j'aie fini
que tu aies fini
qu'il ait fini
que nous ayons fini
que vous ayez fini
qu'ils aient fini

### Imparfait

que je finisse
que tu finisses
qu'il finît
que nous finissions
que vous finissiez
qu'ils finissent

### Plus-que-parfait

que j'eusse fini
que tu eusses fini
qu'il eût fini
que nous eussions fini
que vous eussiez fini
qu'ils eussent fini

## IMPÉRATIF

### Présent

finis
finissons
finissez

### Passé

aie fini
ayons fini
ayez fini

## PARTICIPE

### Présent

finissant

### Passé

fini, ie
ayant fini

## INFINITIF

### Présent

finir

### Passé

avoir fini

# Genre

Le genre des mots est l'une des grandes difficultés de la langue française, comme d'ailleurs de toutes les autres langues où cette distinction existe, par exemple le grec qui ajoute le neutre au masculin et au féminin.

Spontanément, on a tendance à croire qu'il existe une relation entre le genre du mot et le sexe de l'être désigné. En fait, la question est très complexe.

## LE GENRE DES NOMS D'ÊTRES ANIMÉS

### 1° Relation entre le genre du mot et le sexe de l'être désigné

Dans de nombreux cas, le masculin correspond effectivement à un être mâle et le féminin à un être femelle lorsque les noms désignent :

• L'**humanité** en général ou des **êtres mythologiques.** *Homme/femme, garçon/fille, dieu/déesse.*

• Des **liens familiaux.** *Mari/femme, père/mère, cousin/cousine, oncle/tante.*

• Des **désignations de métier, de fonction.** *Directeur/directrice, épicier/épicière, romancier/romancière.*
V. Tableau – **FÉMINISATION DES TITRES.**

• Des *animaux domestiques*. *Cheval/jument, bouc/chèvre, canard/cane, bœuf/vache.*
☞ Pour le féminin des noms d'animaux, consulter le Tableau – **ANIMAUX.**

• Du **gibier traditionnel.** *Cerf/biche, renard/renarde, ours/ourse, sanglier/laie.*

### 2° Sexe non différencié

La langue ne fait pas toujours la distinction entre les sexes, même lorsque celle-ci existe dans les faits :

• Soit parce que le masculin est utilisé comme une *appellation générale. Les hommes sont mortels.*

• Soit parce que la notion de sexe est *indifférente au propos tenu. Ce cheval court vite.*

• Soit parce que les êtres ne sont pas considérés comme appariés, en raison de leur **petitesse,** de leur **caractère exotique** ou **fabuleux.** *La mouche, le lynx, la panthère, le vautour.*

• Soit parce qu'on considère comme **asexués** certains êtres qui, en fait, ont un sexe. *La rose, le jasmin, la truite, le requin, la baleine.*

### 3° Genre non marqué

Parfois, le nom peut être tour à tour masculin et féminin selon qu'il désigne un être mâle ou un être femelle; ce nom est dit **épicène.** *Un* ou *une architecte, un* ou *une enfant, un* ou *une propriétaire.*

### 4° Absence de relation entre le genre du mot et le sexe de l'être désigné

*Une sentinelle, une canaille, un sage.*

## LE GENRE DES NOMS D'ÊTRES INANIMÉS

Dans la très grande majorité des cas, l'attribution du genre est **arbitraire,** sans motivation précise. *Une chaise, un fauteuil, un canapé, une causeuse.*

Dans de rares cas, la différence de genre correspond à une **distinction de sens.** *Un pendule/une pendule, un tour/une tour, un geste/une geste, un mémoire/une mémoire.*

## LES ACCORDS

En fonction de son genre, le nom s'accorde avec :

– le **déterminant article.** *Le pont, la balle, un crayon, une règle;*

suite ➡

# Genre suite

– le **déterminant adjectif.** *Son chapeau, sa montre, cet arbre, cette fleur;*

– l'**adjectif qualificatif.** *Un beau gâteau, une belle tarte, un bon biscuit, une bonne pomme.*

Si l'on fait généralement les accords de façon instinctive, quelques noms sont cause d'hésitations, notamment :

– les mots commençant par une **voyelle** ou un **h** muet, parce que les articles et les adjectifs sont alors neutralisés. *L'escalier, l'horloge, son avion, son amie, son histoire;*

– les mots se terminant par un **e** muet. *Un pétale, un globule, un incendie.*

### VOICI QUELQUES NOMS DONT LE GENRE EST DIFFICILE À RETENIR

**Noms masculins**

| | | | | |
|---|---|---|---|---|
| abaque | arpège | embâcle | holocauste | oreiller |
| accident | ascenseur | emblème | hôpital | orteil |
| agrumes | asphalte | en-tête | incendie | ovule |
| ambre | astérisque | entracte | insigne | ozone |
| amiante | augure | équinoxe | interstice | pamplemousse |
| ampère | autobus | escalier | ivoire | pénates |
| antidote | autographe | esclandre | jade | pétale |
| apanage | automne | évangile | jute | tentacule |
| apogée | avion | granule | libelle | termite |
| appendice | camée | habit | lobule | testicule |
| après-guerre | chrysanthème | haltère | narcisse | tubercule |
| armistice | décombres | hémicycle | nimbe | ulcère |
| aromate | effluve | hémisphère | obélisque | vivres |

**Noms féminins**

| | | | | |
|---|---|---|---|---|
| abscisse | arabesque | ébène | horloge | oriflamme |
| acné | argile | échappatoire | immondice | ouïe |
| acoustique | armoire | écritoire | molécule | primeur |
| alcôve | atmosphère | enclume | moustiquaire | réglisse |
| algèbre | autoroute | épice | nacre | spore |
| améthyste | avant-scène | épitaphe | oasis | stalactite |
| amibe | azalée | épithète | obsèques | stalagmite |
| ancre | bonace | épître | ocre | strate |
| anicroche | câpre | fibre de verre | omoplate | ténèbres |
| apostrophe | cuticule | gélule | once | topaze |
| appendicite | débâcle | hélice | orbite | urticaire |

**Noms à double genre**

| | | | | |
|---|---|---|---|---|
| aigle | enseigne | manche | office | physique |
| amour | espace | mémoire | orge | poste |
| couple | geste | météorite | orgue | relâche |
| crêpe | gîte | mode | parallèle | solde |
| délice | hymne | œuvre | pendule | voile |

## LE GENRE ET LE NOMBRE DES SIGLES

Les sigles prennent généralement le genre du premier nom abrégé.

*La STCUM (la Société de transport de la Communauté urbaine de Montréal) .*
*La SRC (la Société Radio-Canada).*

Les sigles de langue étrangère prennent le genre et le nombre qu'aurait eu en français le générique de la dénomination.

*La BBC (British Broadcasting Corporation)* (**société,** *féminin singulier*).
*Les USA (United States of America)* (**États,** *masculin pluriel*).

# Noms **géographiques**

Les noms géographiques sont des noms de lieux appelés également **toponymes**.

| | |
|---|---|
| **Nom géographique employé seul** | Le nom propre géographique prend une majuscule.<br><br>*Le Québec, le Saint-Laurent.* |
| **Nom commun accompagné par un nom propre ou par un adjectif** | Le nom commun (générique) s'écrit avec une minuscule, tandis que le nom propre ou l'adjectif (spécifique) prend la majuscule.<br><br>*Le cap Diamant, les montagnes Rocheuses, l'anse de Vaudreuil, l'océan Atlantique, le golfe Persique.*<br><br>☞ Certaines dénominations font exception à cette règle. *Le Bouclier canadien.* |
| **Dénomination composée** | Le nom est accompagné d'un adjectif nécessaire à l'identification, qui précède souvent le nom. Les deux mots s'écrivent avec une majuscule et sont souvent liés par un trait d'union.<br><br>*Terre-Neuve, le Proche-Orient, la Grande-Bretagne, Trois-Rivières, les Pays-Bas, la Nouvelle-Angleterre, les Grands Lacs.* |
| **Nom des habitants d'un lieu** | Le nom des habitants d'un lieu (continent, pays, région, ville, village, etc.) appelé également **gentilé**, s'écrit avec une majuscule.<br><br>*Un Québécois, une Montréalaise.*<br><br>Les adjectifs dérivés de gentilés s'écrivent avec une minuscule.<br><br>*Une coutume beauceronne.* |
| **Nom étranger** | Dans les cas où le nom géographique n'a pas d'équivalent français, la graphie d'origine est respectée.<br><br>*New York, San Diego, Los Angeles, Rhode Island, Cape Cod.*<br><br>☞ Les noms des habitants d'un lieu et les adjectifs dérivés de noms étrangers sont écrits à la française avec accents et traits d'union, s'il y a lieu. *Les New-Yorkais.* |
| **Surnom géographique** | Les expressions désignant certaines régions, certaines villes s'écrivent avec une majuscule au nom et à l'adjectif qui précède.<br><br>*Le Nouveau Monde.*<br><br>Si l'adjectif suit, il garde la minuscule.<br><br>*La Ville éternelle, la Péninsule gaspésienne.* |

V. Tableau – **TOPONYMES.**

# Grades et diplômes universitaires

## DÉSIGNATIONS

Les désignations de grades et de diplômes universitaires s'écrivent avec une majuscule initiale. *Baccalauréat ès sciences. Maîtrise en droit.*

☞ 1° Le nom de la discipline spécifique s'écrit en minuscules.
2° La préposition **ès** qui résulte de la contraction de **en** et de **les** est suivie d'un pluriel.

## ABRÉVIATIONS

Les abréviations des grades et des diplômes se composent ainsi :

### • le grade

Le nom désignant le grade s'abrège par le retranchement des lettres à l'exception de l'initiale qui s'écrit en majuscule et qui est suivie du point abréviatif :

– *certificat*   C.
– *baccalauréat*   B.
– *licence*   L.
– *maîtrise*   M.
– *doctorat*   D.

### • la discipline

Le nom désignant la discipline ou la spécialité s'abrège par le retranchement des lettres finales (après une consonne); la première lettre s'écrit en majuscule, la dernière lettre de l'abréviation est généralement suivie du point abréviatif. *Architecture, Arch. Urbanisme, Urb.*

☞ Font exception à ces règles, certaines abréviations consacrées par l'usage qui proviennent du latin. *Ph.D., LL.D., LL.M., LL.L.* ou de l'anglais *M.B.A.*

## ABRÉVIATIONS DES GRADES UNIVERSITAIRES

| | |
|---|---|
| B.A. | Baccalauréat ès arts |
| B.A.A. | Baccalauréat en administration des affaires |
| B.Arch. | Baccalauréat en architecture |
| B.A.V. | Baccalauréat en arts visuels |
| B.Ed. | Baccalauréat en éducation |
| B.E.E. | Baccalauréat d'enseignement élémentaire |
| B.Mus. | Baccalauréat en musique |
| B.Pharm. | Baccalauréat en pharmacie |
| B.Ps. | Baccalauréat en psychologie |
| B.Sc. | Baccalauréat ès sciences |
| B.Sc.A. | Baccalauréat ès sciences appliquées |
| B.Sc.inf. | Baccaulauréat en sciences infirmières |
| B.Sc.(nutrition) | Baccalauréat ès sciences (nutrition) |
| B.Sc.soc. | Baccalauréat en sciences sociales |
| B.Serv.soc. | Baccalauréat en service social |
| B.Th. | Baccalauréat en théologie |
| B.Urb. | Baccalauréat en urbanisme |
| D.C.L. | Doctorat en droit civil |
| D.Ed. | Doctorat en éducation |
| D. ès L. | Doctorat ès lettres |

suite ➞

# Grades et diplômes universitaires suite

| | |
|---|---|
| D.M.D. | Doctorat en médecine dentaire |
| D.Mus. | Doctorat en musique |
| D.M.V. | Doctorat en médecine vétérinaire |
| D.Sc. | Doctorat ès sciences |
| D.U. | Doctorat de l'Université |
| J.C.B. | Baccalauréat en droit canonique |
| J.C.D. | Doctorat en droit canonique |
| L. ès L. | Licence ès lettres |
| LL.B. | Baccalauréat en droit |
| LL.D. | Doctorat en droit *(Legum Doctor)* |
| LL.L. | Licence en droit |
| LL.M. | Maîtrise en droit |
| L.Ph. | Licence en philosophie |
| L.Pharm. | Licence en pharmacie |
| L.Th. | Licence en théologie |
| M.A. | Maîtrise ès arts |
| M.A.P. | Maîtrise en administration publique |
| M.A.Ps. | Maîtrise ès arts en psychologie |
| M.A.(théologie) | Maîtrise ès arts en théologie |
| M.B.A. | Maîtrise en administration des affaires |
| M.D. | Doctorat en médecine *(Medicinae Doctor)* |
| M.Ed. | Maîtrise en éducation |
| M.Ing. | Maîtrise en ingénierie |
| M.Mus. | Maîtrise en musique |
| M.Sc. | Maîtrise ès sciences |
| M.Sc.A. | Maîtrise ès sciences appliquées |
| M.Sc.(biologie) | Maîtrise ès sciences (biologie) |
| M.Th. | Maîtrise en théologie |
| Ph.D. | Doctorat en philosophie |
| Ph.D.(D.C.) | Doctorat en philosophie en droit canonique |
| S.T.D. | Doctorat en théologie |

## ABRÉVIATIONS DES DIPLÔMES ET CERTIFICATS

| | |
|---|---|
| D.D.N. | Diplôme de droit notarial |
| D.E.A. | Diplôme d'études africaines |
| D.E.C. | Diplôme d'études collégiales |
| D.E.S. | Diplôme d'études secondaires (spécialisées ou supérieures) |
| D.M.V.P. | Diplôme de médecine vétérinaire préventive |
| D.P.H. | Diplôme de pharmacie d'hôpital |
| D.S.A. | Diplôme en sciences administratives |
| | |
| C.A.E.S.L.S. | Certificat d'aptitude à l'enseignement spécialisé d'une langue seconde |
| C.A.P.E.M. | Certificat d'aptitude pédagogique à l'enseignement musical |
| C.A.P.E.S. | Certificat d'aptitude pédagogique à l'enseignement secondaire |
| C.E.C. | Certificat pour l'enseignement collégial |
| C.E.C.P. | Certificat pour l'enseignement collégial professionnel |
| C.E.E. | Certificat pour l'enseignement au cours élémentaire |
| C.E.S. | Certificat pour l'enseignement au cours secondaire |
| C.E.S.P. | Certificat pour l'enseignement secondaire professionnel |
| C.P.E.C.P. | Certificat de pédagogie pour l'enseignement collégial professionnel |

# Emprunts au **grec**

Un grand nombre de mots français proviennent de la langue grecque ancienne. Ce sont des mots de formation savante qui appartiennent surtout à la langue technique, scientifique, médicale ou religieuse.

**Suivent quelques exemples de mots français d'origine grecque :**

| | | | | |
|---|---|---|---|---|
| amnésie | bibliothèque | érotique | lexique | sténographie |
| anatomie | botanique | grammaire | méthode | syntagme |
| anecdote | cathode | gramme | mètre | syntaxe |
| anthropologie | catholicisme | graphie | neurologie | système |
| apocalypse | dactylographie | gynécologie | œsophage | technique |
| apoplexie | démocratie | heuristique | olympique | télépathie |
| archevêque | diaphane | hygiène | orthopédie | téléphone |
| ascèse | diocèse | iota | philanthropie | typographie |
| asphyxie | diphtérie | kaléidoscope | phonétique | xénophobie |
| baptême | éphémère | larynx | rhétorique | xylophone |
| batracien | épisode | lexicologie | rhizome | zoologie |

**Certains mots ont été empruntés au grec par l'intermédiaire du latin :**

| | | | | |
|---|---|---|---|---|
| architecte | géométrie | mandragore | pyramide | tyran |
| arthrite | harmonique | méandre | rhésus | utopie |
| basilique | hermaphrodite | mécanique | rhinocéros | zéphyr |
| catéchisme | hiéroglyphe | métempsycose | rhumatisme | zeugma |
| catastrophe | hippodrome | nécromancie | salamandre | zizanie |
| dialectique | hyperbole | orchidée | synchronisme | zodiaque |
| épitaphe | iris | pédagogie | taxer | zone |
| ermite | logique | périple | tigre | |
| esthétique | logistique | péritoine | trigonométrie | |
| flegme | magie | philologie | typique | |

Aujourd'hui, ce sont plutôt les racines grecques qui servent à créer les nouveaux mots, les néologismes :

① 

| Préfixes | Sens | Exemples | | Suffixes | Sens | Exemples |
|---|---|---|---|---|---|---|
| aéro- | air | *aérodynamique* | | -archie | pouvoir | *monarchie* |
| auto- | soi-même | *automatique* | | -céphale | tête | *encéphale* |
| chrono- | temps | *chronomètre* | | -gène | qui crée | *tératogène* |
| démo- | peuple | *démographie* | | -graphe | écriture | *géographe* |
| micro- | petit | *microscope* | | -logie | science | *biologie* |
| télé- | au loin | *télématique* | | -scope | observer | *microscope* |

· · · · · · · · · · · · · · · · · · · · · · · · · · ① · · · · · · · · · · · · · · · · · · · · · · · · · ·

La connaissance du sens des préfixes et des suffixes empruntés au grec permet souvent de comprendre la signification des mots dont ils font partie.

· · · · · · · · · · · · · · · · · · · · · · · · · · · · · · · · · · · · · · · · · · · · · · · · · · · · · ·

# Guillemets

Les guillemets sont de petits chevrons doubles (« ») qui se placent au commencement (**guillemet ouvrant**) et à la fin (**guillemet fermant**) d'une citation, d'un dialogue, d'un mot, d'une locution que l'auteur désire isoler.

## • FORME

Les guillemets se présentent en français sous la forme de petits chevrons doubles (« »), et en anglais, sous la forme d'une double apostrophe (" ").

## • CITATION

On met des guillemets au début et à la fin d'une citation.

*La Charte de la langue française édicte : «1.– Le français est la langue officielle du Québec.»*

☞    Si la citation porte sur plusieurs alinéas, on met un guillemet ouvrant au début de chaque alinéa et on termine la citation par un guillemet fermant.
*«Langue distinctive d'un peuple majoritairement francophone, la langue française permet au peuple québécois d'exprimer son identité.*
*«L'Assemblée nationale reconnaît la volonté des Québécois d'assurer la qualité et le rayonnement de la langue française.»*
                              *Préambule de la **Charte de la langue française.***

Si la citation comporte plus de trois lignes, elle est généralement disposée en retrait et composée à interligne simple. Dans ce cas, on n'emploie pas de guillemets.

## • DIALOGUE

On met des guillemets au début et à la fin des dialogues. Un changement d'interlocuteur est signalé par l'alinéa précédé d'un tiret.

*Le jardinier constata :*
*«Les roses sont superbes cette année.*
*– Vraiment, je suis de votre avis : elles sont superbes.*
*– Désirez-vous que j'ajoute une nouvelle variété de pivoines?»*

☞    Les incises telles que ***dit-il, répondit-elle*** se mettent entre virgules, sans répétition de guillemets.

## • MISE EN VALEUR

Pour isoler un mot, une expression, un titre, une marque, un terme étranger, on se sert de guillemets.

*Elle aime les parfums de «Givenchy». BCBG est le sigle de «bon chic, bon genre».*

**Guillemets anglais (" ") :**

(1)    Les guillemets anglais en double apostrophe sont utilisés à l'intérieur d'une citation déjà guillemetée.

*Elle demanda : «Voudriez-vous m'acheter le "Dictionnaire visuel junior", s'il vous plaît?»*

. . . . . . . . . . . . . . . . . . . . . . . . (1) . . . . . . . . . . . . . . . . . . . . . . . . .

Le verbe ***guillemeter*** se conjugue en redoublant le *t* devant un *e* muet. *Je guillemette, je guillemetterai*, mais *je guillemetais*.

. . . . . . . . . . . . . . . . . . . . . . . . . . . . . . . . . . . . . . . . . . . . . . . . .

# Haut

## HAUT, ADJECTIF QUALIFICATIF

– Élevé. *Une haute montagne.*
– Éminent, supérieur. *Un haut fonctionnaire. Un travail de haute précision.*
– Qui dépasse le niveau ordinaire. *La rivière est haute.*

☞ Joint au nom *mer,* l'adjectif a un sens différent selon qu'il est placé avant ou après le nom. ***En haute mer,*** au large. ***La mer est haute,*** la marée est à son niveau le plus élevé.

### Dénominations géographiques

Se dit des lieux, des pays qui sont plus élevés, comparativement à d'autres, au-dessus du niveau de la mer ou plus éloignés de la mer. *Les Hautes-Terres-du-Cap-Breton, le Haut-Canada.*

### Dénominations historiques

Se dit des périodes historiques les plus anciennes. *Le haut Moyen Âge.*
☞ L'adjectif s'écrit avec une minuscule sans trait d'union.

## HAUT, ADVERBE

À une grande hauteur. *Les avions volent haut. Des partenaires haut placés. Haut les mains!*
☞ Pris adverbialement, le mot ***haut*** est toujours invariable.

## HAUT, NOM MASCULIN

– Élévation, hauteur. *L'immeuble a 500 mètres de haut. Il y a des hauts et des bas.*
– Sommet. *Le haut d'un édifice.*

### LOCUTIONS DIVERSES

– ***Au haut,*** locution adverbiale. (Litt.) Au sommet. *Sa maison est au haut de la colline.*
– ***De haut,*** locution adverbiale. De la partie supérieure. *Voir la vue panoramique de haut.*
– ***De haut,*** locution adverbiale. (Fig.) Avec dédain. *Le prendre de haut.*
– ***En haut,*** locution adverbiale. En un endroit plus élevé. *Il dort en haut.*
  ☞ L'expression *«monter en haut»* est un pléonasme.
– ***En haut de, du haut de,*** locutions prépositives. Au-dessus de.
– ***Haut en couleur,*** locution adjective. Très coloré. *Des personnages hauts en couleur.*
– ***Là-haut,*** locution adverbiale. Dans le ciel. *Elle est maintenant là-haut.*

### NOMS COMPOSÉS

Les noms composés avec l'adjectif ***haut*** prennent le plus souvent la marque du pluriel aux deux éléments et s'écrivent généralement avec un trait d'union. *Des hauts-fonds.*

☞ L'expression ***haute-fidélité*** est toujours invariable.

Les noms composés avec l'adjectif ***haut*** pris adverbialement ne prennent la marque du pluriel qu'au deuxième élément. *Des haut-parleurs.*

☞ Qu'il soit adjectif, adverbe ou nom, le mot ***haut*** s'écrit avec un *h* aspiré qui empêche l'élision de la voyelle précédente ou la liaison.

# Heure

Symboles du système international d'unités (SI) :

| | |
|---|---|
| heure | **h** |
| minute | **min** |
| seconde | **s** |

• La *notation de l'heure* réunit les indications des unités par ordre décroissant, sans virgule, mais avec un espace de part et d'autre de chaque symbole.

*C'est à 12 h 35 min 40 s qu'il est arrivé.*

• Les *symboles* des unités de mesure n'ont pas de point abréviatif, ne prennent pas la marque du pluriel et ne doivent pas être divisés en fin de ligne.

*Je vous verrai à 16 h 30 (et non à 16 \*hres 30).*

• Conformément à la norme 9990-911 du Bureau de normalisation du Québec, l'heure doit être indiquée selon la période de 24 heures.

*Le musée est ouvert de 10 h à 18 h tous les jours.*

• Cependant, la langue courante, ou la conversation, s'en tient le plus souvent à la période de 12 heures avec l'indication du matin, de l'après-midi ou du soir.

*Le musée ferme à 6 heures du soir.*

• L'heure doit être indiquée de façon homogène :

– si le nom d'une unité est inscrit au long, les autres noms devront être notés en toutes lettres.

*14 heures 8 minutes (et non \*14 heures 8 min).*

– si le nom de la première unité est abrégé, le second sera également abrégé ou omis.

*Je vous verrai à 18 h 25 min (ou 18 h 25) demain.*

• Les abréviations «am» et «pm» qui proviennent du latin *ante meridiem* «avant-midi» et *post meridiem* «après-midi» ne sont utilisées qu'en anglais. En français, on écrira *17 h* (langue officielle) ou *5 h du soir* (langue courante), mais si l'on doit abréger, on ne retiendra que les 24 divisions du jour.

*15 h (et non \*3 h pm).*

☞ 1º La fraction horaire n'étant pas décimale, il n'y a pas lieu d'ajouter un zéro devant les unités. *1 h 5 (et non \*1 h 05).*

2º L'utilisation du *deux-points (:),* recommandée par l'Organisation internationale de normalisation (ISO) pour désigner les soixantièmes, doit être limitée à l'échange d'informations entre systèmes de données et à la présentation en tableau. *20 h 15 min 30 s (20:15:30).*

3º Pour exprimer la vitesse, on recourt à l'expression *à l'heure* qui s'abrège */h* (s'écrit sans point). *Il roule à 60 km/h en moyenne.*

# H muet et H aspiré

## H MUET

La lettre **h** est dite **muette** lorsqu'elle n'empêche pas l'élision de la voyelle précédente ou la liaison entre deux mots. *L'hôpital : le **h** du mot **hôpital** est muet.* C'est donc un signe purement orthographique qui, le plus souvent, constitue un simple rappel de l'étymologie.

## H ASPIRÉ

La lettre **h** est dite **aspirée** quand elle empêche l'élision de la voyelle qui la précède ou la liaison entre deux mots. *Le haricot : le **h** du mot **haricot** est aspiré.*

Seuls quelques mots, surtout d'origine germanique ou anglo-saxonne, ont le **h** aspiré pour initiale :

| | | | | | |
|---|---|---|---|---|---|
| hache | hamster | haricot | havane | hideux | hourra |
| hagard | hanche | harnais | havre | hiérarchie | houspiller |
| haie | handicap | haro | havresac | hisser | housse |
| hailllon | hangar | harpe | heaume | hobereau | houx |
| haine | hanneton | harpie | héler | hockey | hublot |
| haïr | hanter | harpon | henné | holà | huche |
| halage | happer | hasard | hennir | homard | huer |
| haleter | harangue | haschisch | hère | honnir | huis clos |
| hall | haras | hase | hérisser | honte[1] | huit |
| halle | harasser | hâte | hernie | hoquet | hune |
| hallebarde | harceler | hauban | héron | hotte | hurler |
| halo | harde | haubert | héros[1] | houblon | hussard |
| halte | hardi | hausse | herse | houille | hutte... |
| hamac | harem | haut | hêtre | houlette | |
| hameau | hareng | hautain | heurt | houppe | |
| hampe | hargneux | hautbois | hibou | houppelande | |

1. Les noms **héros, honte** ne comportent pas un véritable **h** aspiré; c'est par euphonie qu'on ne fait pas de liaison ou d'élision devant ces mots. *Les héros* (s'entendrait les «zéros»). Par contre, le nom féminin **héroïne** a un **h** muet. *L'héroïne.*

. . . . . . . . . . . . . . . . . . . . . . . . . . . . . . . . . . . . . . . . . . . . . . . . . . . .

Attention :
    l'huissier, l'haltère, l'hémisphère...
    mais **le** haricot, **la** hernie, **le** hêtre...

. . . . . . . . . . . . . . . . . . . . . . . . . . . . . . . . . . . . . . . . . . . . . . . . . . . .

# Homonymes

Les homonymes sont des mots qui s'écrivent ou se prononcent de façon identique, sans avoir la même signification :

| | |
|---|---|
| *air* | (mélange gazeux) |
| *air* | (mélodie) |
| *air* | (expression) |
| *aire* | (mesure de surface) |
| *ère* | (époque) |
| *hère* | (personne misérable) |

Dans les *homonymes,* on peut distinguer :

— les *homographes* qui ont une orthographe identique, souvent la même prononciation, mais une signification distincte :

| | |
|---|---|
| *noyer* | (arbre) |
| *noyer* | (périr par noyade); |

— les *homophones* qui ont une prononciation identique, mais une orthographe différente, et une signification distincte :

| | |
|---|---|
| *chair* | (substance) |
| *chaire* | (tribune) |
| *chère* | (nourriture) |
| *cher* | (coûteux). |

C'est le contexte qui permet de situer le terme et de préciser son orthographe; la tâche n'est pas toujours facile, car le français est une des langues qui comporte le plus d'homonymes.

☞ Ne pas confondre avec les noms suivants :

— *antonymes,* mots qui ont une signification contraire :

*devant, derrière;*

— *paronymes,* mots qui présentent une ressemblance d'orthographe ou de prononciation sans avoir la même signification :

*acception* (sens d'un mot), *acceptation* (accord);

— *synonymes,* mots qui ont la même signification ou une signification très voisine :

*gravement, grièvement.*

V. Tableau – **ANTONYMES.**
V. Tableau – **PARONYMES.**
V. Tableau – **SYNONYMES.**

# Adjectif **indéfini**

L'adjectif indéfini détermine le nom, mais d'une manière générale ou vague au point de vue de la quantité, de la ressemblance ou de la différence.

*Quelques arbres, plusieurs plantes, les mêmes fleurs.*

V. Tableau – **ADJECTIF.**

| Quelques exemples | |
|---|---|
| Aucun | divers |
| autre | maint |
| certain | nul |
| chaque | tel |
| différent | tout |

# Indicatif

L'indicatif est le mode du réel, le mode des faits certains. C'est le plus fréquemment utilisé; il comprend un temps pour le **présent,** cinq temps pour le **passé** et deux temps pour le **futur.**

## LE PRÉSENT

Le **présent** exprime un fait qui s'accomplit au moment où l'on parle.
*Il fait soleil aujourd'hui, elle est à la campagne dans sa forêt enchantée.*

Il exprime également :
- **une vérité éternelle**.
    *Le ciel est bleu. Deux et deux font quatre.*
- **un fait habituel**.
    *Il part tous les matins à 7 h 30.*
- **un fait actuel**.
    *Il neige.*
- **un futur proche**.
    *Un instant, je vous prie, je suis à vous dans quelques minutes.*

## LE PASSÉ

L'**imparfait** traduit un fait qui dure, un fait non achevé quand un autre a eu lieu.
*Il pleuvait quand nous sommes arrivés. Quand il avait cinq ans, il était très turbulent.*

Le **passé simple** exprime un fait passé lointain qui s'est produit en un temps déterminé et complètement écoulé.
*Le 14 décembre 1945, il neigea abondamment.*

Le **passé composé** décrit un fait accompli, qui a eu lieu avant le moment où l'on parle.
*Il a bien travaillé.*

Le **passé antérieur** traduit un fait passé qui s'est produit immédiatement avant un autre fait passé.
*Quand ils eurent terminé, ils partirent.*

Le **plus-que-parfait** exprime un fait entièrement achevé lors d'un autre fait passé.
*Nous avions terminé nos exercices quand la cloche a sonné.*

## LE FUTUR

Le **futur** exprime un fait qui aura lieu dans l'avenir.
*Nous finirons bientôt. Marie-Ève aura 15 ans l'été prochain.*

Il exprime également :
- **un impératif.**
    *Vous voudrez bien m'expliquer cette erreur.*
- **un présent atténué.**
    *Nous vous prierons de passer à nos bureaux.*
- **une vérité générale.**
    *Il y aura toujours des gagnants et des perdants.*
- **une probabilité.**
    *L'automne sera beau, je crois.*
- **un futur dans le passé.**
    *Vous assisterez ensuite à la victoire de notre équipe.*

Le **futur antérieur** traduit un fait qui devra en précéder un autre dans l'avenir.
*Quand il aura terminé, il prendra des vacances.*

Il peut également marquer :
- **un fait futur inévitable.**
    *Je ne suis pas inquiète, il aura conquis son auditoire en quelques minutes.*
- **un fait passé hypothétique.**
    *Il ne s'est pas présenté, il se sera rendu à notre ancienne adresse.*

V. Tableau – **CONCORDANCE DES TEMPS.**
V. Tableau – **PASSÉ** (TEMPS DU).

# Infinitif

L'infinitif exprime une idée d'action ou d'état sans indication de personne ni de nombre, sans relation à un sujet; c'est un **mode impersonnel.**

L'infinitif s'emploie tantôt comme un **nom,** tantôt comme un **verbe.**

## NOM

Certains infinitifs sont devenus de véritables noms : *le rire, le savoir-faire, le baiser, le déjeuner, le devoir, le sourire, le souvenir.*

☞— Ces noms prennent la marque du pluriel s'ils sont simples; s'ils sont composés, ils sont invariables. *Des rires, des savoir-vivre.*

L'infinitif nom peut remplir les fonctions du nom :

| | |
|---|---|
| – **Sujet.** | *Lire* me plaît. |
| – **Attribut du sujet.** | *Partir c'est **mourir** un peu.* |
| – **Complément du nom ou du pronom.** | *Le temps de **jouer.*** |
| – **Complément de l'adjectif qualificatif.** | *Apte à **réussir.*** |
| – **Complément d'objet direct ou indirect.** | *Tu aimes **courir. Préparez-vous à partir.*** |
| ☞— Il est possible d'employer plusieurs infinitifs à la suite. | *Il aime **chanter, danser** et puis **rire.*** |
| – **Complément circonstanciel.** | *Il faut travailler pour **réussir.*** |

Dans une **proposition indépendante,** l'infinitif exprime :

– Un ordre, un conseil. ***Ne pas exposer** à l'humidité.*
☞— Dans ce contexte, l'infinitif a valeur d'impératif. Sur les formulaires, dans l'affichage, on préférera le mode infinitif au mode impératif qui a une connotation plus autoritaire, moins polie.

– Une narration. *Et les invités d'**applaudir.***
☞— L'infinitif est précédé de ***de.***

– Une question, une exclamation. *Où **aller**? **Abandonner** la partie, jamais!*

## VERBE

TEMPS DE L'INFINITIF

### Infinitif présent

Selon le temps du verbe de la principale, l'infinitif présent prend une valeur de présent, de passé ou de futur.

Après certains verbes (***devoir, espérer, souhaiter, promettre,*** etc.) l'infinitif présent exprime toujours un futur. *J'espère **réussir** (que je réussirai).*

### Infinitif passé

☞— Quel que soit le temps du verbe de la principale, l'infinitif passé a la valeur d'un passé. Après certains verbes (***espérer, souhaiter,*** etc.), l'infinitif passé a la valeur d'un futur antérieur et permet d'alléger la structure de la phrase.

- *Je pense **avoir atteint mon objectif** (... que j'ai atteint...).*
- *Je pensais **avoir atteint mon objectif** (... que j'avais atteint...).*
- *Je souhaite **avoir atteint mon objectif en décembre** (... que j'aurai atteint...).*
- *Je souhaitais **avoir atteint mon objectif en décembre** (... que j'aurais atteint...).*

# Interjection

L'*interjection* est un mot, un groupe de mots qui exprime une réaction émotive de la personne qui parle (surprise, peur, joie, chagrin, etc.). Les multiples exclamations, tous les jurons imaginables rendent la création des interjections toujours vivante.

• Les *interjections* sont souvent des **onomatopées** composées de voyelles, de voyelles combinées à une consonne, ou de consonnes. *Aïe! Oh! Psst!* Elles peuvent être également constituées d'**exclamations** formées de mots employés seuls ou accompagnés de déterminants. *Zut! Bravo! Juste ciel! À la bonne heure! Au secours!*

☞ On nomme *locution interjective* l'exclamation formée de plusieurs mots. *Mystère et boule de gomme!*

• Les *interjections* et les *locutions interjectives* sont suivies du point d'exclamation et s'écrivent généralement avec une majuscule initiale.

## QUELQUES INTERJECTIONS ET LOCUTIONS INTERJECTIVES

| | | | | |
|---|---|---|---|---|
| Adieu! | Chut! | Halte! | Merci! | Quoi donc! |
| Ah! | Ciel! | Hé! | Mince! | Salut! |
| Aïe! | Courage! | Hé bien! | Minute! | Silence! |
| Ainsi soit-il! | Crac! | Hé quoi! | Miracle! | Soit! |
| À la bonne heure! | D'accord! | Hein! | Mon Dieu! | Stop! |
| Allez! | Dame! | Hélas! | N'importe! | Suffit! |
| Allô! | Debout! | Heu! | Nom d'un chien! | Tant mieux! |
| Arrière! | Diable! | Ho! | Non! | Tant pis! |
| Assez! | Dieu! | Ho! Ho! | Ô...! | Tenez! |
| Attention! | Dommage! | Holà! | Oh! | Tiens! |
| Au feu! | Eh! | Hop! | Ohé! | Tonnerre! |
| Au secours! | Eh bien soit! | Hou! | Ouf! | Très bien! |
| Bah! | En avant! | Hourra! | Oui! | Tout beau! |
| Bien! | Enfin! | Hue! | Ouste! | Tout doux! |
| Bis! | Est-ce Dieu possible! | Hum! | Pan! | Va! |
| Bon! | Euh! | Jamais! | Par exemple! | Vite! |
| Bon Dieu! | Fi! | Juste ciel! | Parfait! | Vive...! |
| Bonté divine! | Flûte! | Là! | Pas possible! | Voilà! |
| Bravo! | Gare! | Las! | Patience! | Voyons! |
| Brr! | Grâce! | Ma foi! | Pitié! | Zut! |
| Ça alors! | Ha! | Malheur! | Psst! | |
| Chic! | Ha! Ha! | Mamma mia! | Quoi! | |

........................................................

L'interjection *ô*, contrairement à *oh!, ho!,* n'est jamais immédiatement suivie du point d'exclamation; le signe de ponctuation est reporté à la fin de l'apostrophe, de la phrase.

*Ô mon ami!*
*Oh! merci!*
*Ho! Ho! dit le Père Noël.*

........................................................

# Pronom **interrogatif**

Le pronom interrogatif est un pronom relatif employé pour introduire une proposition interrogative directe ou indirecte. *Qui frappe à la porte? Je ne sais que dire.*

**Formes simples :** *qui?* (pour les personnes)
*que? quoi?* (pour les choses)

**Formes composées :**

| | | | |
|---|---|---|---|
| *lequel?* | *laquelle?* | *lesquels?* | *lesquelles?* |
| *auquel?* | *à laquelle?* | *auxquels?* | *auxquelles?* |
| *duquel?* | *de laquelle?* | *desquels?* | *desquelles?* |

Le pronom interrogatif peut être

**Sujet.** *Qui vient dîner ce soir? Coûte que coûte.*

**Attribut.** *Qui est-elle? Que devient ce projet?*

**Complément d'objet direct.** *Qui as-tu vu? Que voulez-vous?*

**Complément d'objet indirect.** *À qui voulez-vous parler? À quoi pensez-vous?*

**Complément circonstanciel.** *Pour qui travaillez-vous? De quoi est-elle atteinte?*

V. Tableau – **PRONOM.**

..................................①..................................

Si la phrase interrogative est inversée et que le pronom personnel commence par une voyelle, on intercale un *t* euphonique entre ce pronom et le verbe qui se termine par une voyelle ainsi qu'un trait d'union entre chacun des éléments. *A-t-elle joué?*

# Adjectif **interrogatif et exclamatif**

**Adjectif interrogatif**

Déterminant indiquant que l'on s'interroge sur la qualité de l'être ou de l'objet déterminé : ***quel, quelle, quels, quelles.***

*Quel livre? Quelle personne? Quelles études?*

**Adjectif exclamatif**

Déterminant qui sert à traduire l'étonnement, l'admiration que l'on éprouve devant l'être ou l'objet déterminé.

*Quel succès! Quelle maison! Quelles perspectives!*

V. Tableau – **ADJECTIF.**

# Emprunts à l'**italien**

De nombreux mots italiens se sont intégrés au français; ils proviennent surtout des domaines de la musique, de l'art et de la cuisine.

### Orthographe

Si le mot est francisé, il s'écrit avec des accents et prend la marque du pluriel. *Des scénarios, des trémolos, des opéras.*

☞— Certains auteurs recommandent l'invariabilité des mots pluriels italiens tels que ***spaghetti, macaroni, ravioli...*** Il apparaît plus pratique de considérer que ces mots sont maintenant francisés, et donc variables. *Des spaghettis, des macaronis, des raviolis.*

### Musique

Certains mots italiens qui font partie du vocabulaire musical demeurent invariables lorsqu'ils désignent des mouvements, des nuances; ils s'écrivent alors sans accent. *Des* crescendo, *jouer* allegro.

Lorsque ces mots désignent des pièces de musique, ils prennent la marque du pluriel et s'écrivent avec des accents. *Des allégros de Beethoven.*

| Quelques mots italiens francisés | |
|---|---|
| brocoli | macaroni |
| chianti | maestro |
| concerto | opéra |
| confetti | ravioli |
| dilettante | salami |
| fiasco | scénario |
| gnocchi | solo |
| imbroglio | soprano |
| incognito | spaghetti |
| influenza | trémolo |
| lasagne | |

☞— Tous ces mots francisés prennent la marque du pluriel.

············································ ① ············································

*Des **allégros** de Mozart.*
Le nom est francisé; il s'écrit donc avec un accent et prend la marque du pluriel.

*Un morceau de musique exécuté **allegro.***
L'adverbe est considéré comme mot étranger; il reste invariable et s'écrit sans accent.

☞— En typographie soignée, les mots étrangers sont composés en italique. Dans des textes déjà en italique, la notation se fait en romain. Pour les textes manuscrits, on utilisera les guillemets.

············································································

# Italique

L'italique, caractère typographique légèrement incliné vers la droite, permet d'attirer l'attention du lecteur sur un mot, un titre, une citation, une dénomination.

☞ Dans un texte manuscrit ou dactylographié destiné à l'impression, on souligne d'un trait les mots qui doivent être composés en italique.

SE COMPOSENT EN ITALIQUE :

• **Titres d'œuvres** (livres, tableaux, journaux, revues, etc.)

Le mot initial du titre s'écrit avec une majuscule.

> Elle a beaucoup aimé *À la recherche du temps perdu*.
> Le journal *Le Devoir*.
> Avez-vous vu les *Femmes au jardin* de Monet?

• **Enseignes commerciales**

Citées intégralement, les inscriptions d'enseignes se composent en *italique*; abrégées, elles seront composées en romain.

> S'arrêter à l'*Auberge du Cheval blanc*.
> Manger au Cheval blanc.

• **Noms de véhicules** (bateaux, avions, trains, engins spatiaux, etc.)

Les noms propres de véhicules se composent en *italique*. Ces noms propres s'écrivent avec une capitale initiale au nom spécifique et à l'adjectif qui précède le nom.

> Il a pris le *Concorde*.
> Les images sont transmises par *Ariane*.

• **Notes de musique**

Les huit notes de musique se composent en *italique*. Les indications qui peuvent accompagner les notes sont en **romain**.

> Une étude en *si* bémol.

• **Citations, mots en langue étrangère**

Les locutions latines, les citations, les mots, les expressions qui appartiennent à une langue étrangère sont composés en *italique*.

> Une déduction *a posteriori*.
> C'est un véritable *one man show*.

• **Devises**

Les devises sont toujours composées en *italique*.

> *Je me souviens*.
> *Fluctuat nec mergitur*.

• **Avis, indications au lecteur**

Si le texte (avant-propos, dédicace, etc.) n'excède pas vingt pages, il peut être composé en *italique*. On utilise l'*italique* pour attirer l'attention du lecteur à qui l'on s'adresse directement.

> *Suite à la page 24*.

# Jour

1. Division du temps qui comprend 24 heures. *Il y a 365 jours dans une année.*

   ☞ Dans son sens astronomique, le mot ***jour*** désigne le temps qui s'écoule entre le lever et le coucher du soleil, par opposition à la ***nuit***. *Les jours commencent à allonger à compter de janvier.*

## Locutions

– ***Le jour et la nuit, jour et nuit,*** locutions adverbiales. Continuellement. *Ces restaurants sont ouverts jour et nuit.*

– ***Mettre à jour.*** Actualiser. *Le dictionnaire sera mis à jour tous les trois ans* (et non *\*mis à date*).

☞ Ne pas confondre avec la locution ***mettre au jour***, qui signifie «découvrir, révéler». *Les archéologues ont mis au jour les fondations du premier immeuble.*

– ***Tous les jours,*** locution adverbiale. Chaque jour. *Paula vient tous les jours* (et non *\*à tous les jours*).

– ***De jour en jour,*** locution adverbiale. De plus en plus, davantage. *Maxime grandit de jour en jour.*

– ***Du jour au lendemain,*** locution adverbiale. Très rapidement. *Du jour au lendemain, ces personnes ont changé d'avis.*

– ***Le jour J.*** Jour où doit avoir lieu un grand évènement, où l'on doit déclencher une attaque, une opération importante.

## Jours de la semaine

– Lundi, mardi, mercredi, jeudi, vendredi, samedi, dimanche.

☞ Les noms de jours s'écrivent avec une minuscule et prennent la marque du pluriel. *Je viendrai tous les lundis,* mais *je viendrai tous les jeudi et vendredi de chaque semaine.* Attention à la construction de la dernière phrase où les noms de jours restent au singulier parce qu'il n'y a qu'un seul jeudi et un seul vendredi par semaine.

– Jour de la semaine + matin, midi, après-midi, soir. *Le cours a lieu tous les jeudis matin.*

☞ Dans cette construction, les noms ***matin, midi, après-midi, avant-midi, soir*** restent au singulier parce que l'article défini est sous-entendu. *Tous les jeudis* (le) *matin.*

## Jours de fête

Les noms de fête s'écrivent avec une capitale initiale au nom spécifique et à l'adjectif qui le précède. *Le jour de l'An, le Nouvel An, le jour des Rois, le Mardi gras, le mercredi des Cendres, le Vendredi saint, Pâques, la fête des Mères, la fête du Travail, la Saint-Jean, la fête de la Confédération, la Toussaint, Noël.*

## Date

L'indication de la date se fait généralement par ordre croissant : jour, mois, année. *Le 14 décembre 1995.*

☞ Si la date comporte la mention d'un jour de la semaine, celui-ci est précédé de l'article défini; il n'y a pas de virgule entre le jour de la semaine et le quantième du mois. *Le mercredi 14 décembre 1995* (et non *\*Mercredi, le 14 décembre 1995*).

☞ L'usage de l'indication numérique de la date prescrit par l'ISO et l'ACNOR doit être limité aux échanges d'informations entre systèmes de données et à la présentation en colonne ou en tableau. Cette notation procède par ordre décroissant : (année, mois, jour). *1995 12 14* ou *1995-12-14* ou *19951214.* Les nombres inférieurs à 10 sont précédés d'un zéro. *1995 01 05* ou *1995-01-05* ou *19950105.*

V. Tableau – **DATE.**

suite ⟶

# Jour suite

2. Clarté. *Le jour se lève.*

### Locutions adverbiales

– *En plein jour.* En pleine lumière, au milieu de la journée.
– *Au petit jour.* À l'aube.
– *À contre-jour.* Avec un éclairage insuffisant.
– *Au grand jour.* À la connaissance de tous.
– **Sous un jour** + **adjectif**. Sous un certain angle. *Ils verront la question sous un jour nouveau.*

### Locutions

– *Se faire jour.* Apparaître. *Ces indications à la baisse se font jour de plus en plus.*

▭◁– Dans cette expression, le nom *jour* est invariable.

– *Donner le jour à un enfant.* (Litt.) Donner naissance à un enfant, mettre au monde un enfant.

3. Ouverture, orifice. *Il y a un peu de jour dans l'assemblage de cette fenêtre.*

*À jours.* Brodé et ajouré. *Des serviettes à jours.*

. . . . . . . . . . . . . . . . . . . . . . . . . . . . . . . . . . . . . . . . . . . . . .

Pour ce qui est de l'heure, on s'en tiendra à la norme 9990-911 du Bureau de normalisation du Québec : l'heure doit être indiquée selon la période de 24 heures.

*Le musée est ouvert de 10 h à 18 h tous les jours.*

Cependant, la langue courante, ou la conversation, s'en tient le plus souvent à la période de 12 heures avec l'indication du matin, de l'après-midi ou du soir.

*Le musée ferme à 6 heures du soir.*

. . . . . . . . . . . . . . . . . . . . . . . . . . . . . . . . . . . . . . . . . . . . . .

# Jusque, conjonction

• **Jusqu'à ce que,** locution conjonctive. Jusqu'au moment où. *Elena cherchera jusqu'à ce qu'elle finisse par trouver.*

☞ Le verbe se construit au subjonctif pour marquer l'incertitude. Pour exprimer une idée de réalisation effective, on emploie la locution conjonctive **jusqu'au moment où** suivie de l'indicatif. *Yan cherchera jusqu'au moment où elle trouvera.*

• **Jusqu'à tant que,** locution conjonctive. Jusqu'à ce que.

☞ L'emploi de cette locution est courant au Canada dans la langue familière, mais elle est vieillie dans l'ensemble de la francophonie.

V. Tableau – **JUSQUE,** PRÉPOSITION.

# Jusque, préposition

• La préposition marque une limite, un terme final de lieu ou de temps. *Ils iront jusqu'à Montréal. Elle travaillera jusqu'au soir.*

☞ La graphie **jusques** est vieillie; elle ne s'emploie plus que dans des expressions juridiques ou littéraires. *Jusques et y compris. Jusques à quand?*

① • La préposition se construit le plus souvent avec **à.** *Boris marcha jusqu'à la forêt. J'irai jusqu'au bout.*

• Elle peut aussi être suivie d'un adverbe ou d'une autre préposition. *Jusqu'ici, jusque chez lui.*

• **Jusqu'aujourd'hui, jusqu'à aujourd'hui.** Les deux formes sont également admises.

• **Jusqu'alors.** Jusqu'à ce moment. *Jusqu'alors, on s'était contenté de la lampe à huile.*

☞ On réservera à la description d'évènements passés l'emploi de cette locution. Pour le présent, on emploiera plutôt **jusqu'à présent, jusqu'à maintenant.**

• **Jusque** + sujet ou complément d'objet direct. Y compris, même. *Il irait jusqu'à pleurer pour les convaincre.*

V. Tableau – **JUSQUE,** CONJONCTION.

......................... ① .........................

Le mot **jusque** s'élide devant une voyelle.

*Elle a travaillé jusqu'au matin.*

......................................................

# **Là,** adverbe

L'adverbe marque :

• **un lieu éloigné.** *Il faut que j'aille là.*

☞ Dans cet emploi, *là* est en opposition à l'adverbe *ici* qui marque la proximité. Dans les faits, les deux adverbes sont souvent confondus. *Berthe, je ne suis là pour personne.*

• **un point d'arrêt.** *Restons-en là. Je ne croyais pas qu'on allait en venir là.*

☞ Pour désigner un objet éloigné de la personne qui parle, l'adverbe *là* se joint par un trait d'union au nom qui le précède si celui-ci est précédé d'un adjectif démonstratif. *Ce livre-là, cette raquette-là.* Il se joint également par un trait d'union aux mots suivants : ***celui-là, celle-là, ceux-là, jusque-là, là-bas, là-dedans, là-dessous, là-haut.***

Locutions adverbiales

– ***De là.*** De ce lieu-là, pour cette raison. *C'est de là qu'ils sont partis.*

– ***Par là.*** Par ce lieu, par ce moyen. *Passons par là, ce sera plus court.*

– ***Jusque-là.*** Jusqu'à ce point. *La falaise est à 2 km d'ici, marcherez-vous jusque-là?*

– ***Çà et là, par-ci, par-là.*** Par endroits. *Des fleurs sauvages poussent çà et là.*

☞ L'expression ***çà et là*** s'écrit sans trait d'union, mais ***par-ci, par-là*** s'écrit avec des traits d'union.

– ***D'ici là.*** Entre ce moment et un autre moment postérieur. *J'attendrai votre retour, mais d'ici là donnez-moi de vos nouvelles.*

☞ Cette locution s'écrit sans trait d'union.

V. Tableau – **LÀ!,** INTERJECTION.

# **Là!,** interjection

*Là!* L'interjection s'emploie pour apaiser, consoler. *Là, là! Tout s'arrangera.*

Locutions interjectives

– ***Oh! là! là!*** Exclamation qui marque l'étonnement, l'admiration. *Oh! là! là! Quel beau jardin.*
– ***Eh là!*** Interpellation. *Eh là! Venez m'aider, s'il vous plaît.*
– ***Halte-là!*** Ordre de s'arrêter. *Halte-là!, leur cria le douanier.*

V. Tableau – **LÀ,** ADVERBE.

# Emprunts au **latin**

Langue des anciens Romains, le latin constitue l'origine du français et de plusieurs autres langues.

• La plupart des emprunts au latin ont subi l'évolution phonétique normale (formation populaire) et se sont intégrés au français. *Le mot latin «caballus» est devenu* **cheval** *en français.*

• D'autres emprunts faits par les érudits des XIVe, XVe et XVIe siècles (formation savante) ont conservé une forme voisine du latin. *Le mot* **parabole** *vient du latin «parabola». Le même mot latin a donné aussi le mot de formation populaire* **parole.**

• Enfin, d'autres mots empruntés au latin ont conservé leur forme originale.

| MOTS LATINS INVARIABLES | | |
|---|---|---|
| credo | nimbus | requiem |
| cumulus | nota | statu quo |
| ex-voto | nota bene | tumulus |
| minus habens | pater | vade-mecum |
| miserere | post-scriptum | veto... |

☞ Certains mots empruntés au latin restent invariables : ces mots s'écrivent sans accents, malgré leur prononciation.

| MOTS LATINS VARIABLES | |
|---|---|
| **Singulier latin** | **Pluriel latin** |
| addendum | addenda |
| desideratum | desiderata |
| erratum | errata |
| maximum | maxima |
| minimum | minima |
| stimulus | stimuli... |

☞ Certains mots gardent le pluriel latin et s'écrivent sans accent.

☞ La tendance actuelle est de franciser les noms **maximum, minimum** en les écrivant au pluriel avec un **s.** Comme adjectifs, ils sont remplacés par **maximal, ale, aux** et **minimal, ale, aux.**

| MOTS LATINS FRANCISÉS | |
|---|---|
| agenda | intérim |
| album | médium |
| alibi | mémento |
| alinéa | mémorandum |
| alléluia | pensum |
| atrium | quatuor |
| angélus | quorum |
| bénédicité | quota |
| consortium | recto |
| décorum | référendum |
| déficit | sanatorium |
| duplicata | solarium |
| fac-similé | spécimen |
| folio | ultimatum |
| forum | verso... |

☞ Certains mots empruntés au latin ont été francisés par leur usage fréquent.

☞ Ces mots prennent la marque du pluriel et s'écrivent avec des accents s'il y a lieu.

*Des médias électroniques.*

| LOCUTIONS LATINES | |
|---|---|
| **Locution** | **Signification** |
| a contrario | par l'argument des contraires |
| ad patres | dans l'autre monde |
| ad valorem | selon la valeur |
| ad vitam æternam | pour toujours |
| a fortiori | à plus forte raison |
| a posteriori | fondé sur des faits |
| a priori | non fondé sur des faits |
| de facto | de fait |
| de visu | après l'avoir vu |
| et cætera | et les autres |
| ex æquo | au même rang |
| ex cathedra | avec un ton doctoral |
| extra-muros | à l'extérieur des murs |
| grosso modo | en gros |
| in extenso | intégralement |
| in extremis | au tout dernier moment |
| intra-muros | à l'intérieur des murs |
| ipso facto | immédiatement |
| manu militari | par la force |
| modus vivendi | entente |
| nec plus ultra | ce qu'il y a de mieux |
| sine die | sans jour fixé |
| sine qua non | condition essentielle |
| vice versa... | inversement |

☞ Ces locutions s'écrivent sans accents.

☞ En typographie soignée, les mots étrangers sont composés en italique. Dans des textes déjà en italique, la notation se fait en romain. Pour les textes manuscrits, on utilisera les guillemets.

# Le, la, les, articles définis

Déterminants employés pour désigner des personnes ou des choses dont le sens est complètement défini.

### Élision

Les articles s'élident devant un mot commençant par une voyelle ou un *h* muet. *L'école, l'hommage.*

☞ Cette élision ne se fait pas devant les adjectifs numéraux. *Le onze du mois, le huit de cœur, le un de la rue des Érables.*

### Contraction

Les articles *le, les* employés avec la préposition *de* deviennent *du* et *des.* L'article *la* employé avec *de* ne se contracte pas. *Elle revient du bureau. Ils parlent des jeux. La beauté de la rose.*

Les articles *le, les* employés avec la préposition *à* donnent *au* et *aux. Marcher jusqu'au parc. Rêver aux vacances.*

(Vx) L'article *les* précédé de la préposition *en* s'est contracté en *ès* qui ne s'emploie plus que dans le nom de certains grades universitaires. *Baccalauréat ès arts. Doctorat ès lettres.*

### Liaison

La liaison de l'article *les* avec le mot qui suit se fait si ce mot commence par une voyelle ou un *h* muet. *Les enfants (lézenfants), les hommes (lézommes).*

### Omission

On ne répète pas l'article si deux adjectifs se rapportent au même nom. *La tendre et belle enfant.*

On peut omettre l'article dans certaines énumérations. *Orthographe, grammaire, typographie feront l'objet de tableaux.*

Les articles sont omis dans certaines expressions figées. *Les us et coutumes, des faits et gestes, sur mer et sur terre, blanc comme neige, avoir carte blanche...*

### Répétition

L'article est répété devant les noms joints par les conjonctions *et, ou. Les fruits et les légumes.*

### Devant un superlatif

Quand la comparaison est établie avec des êtres ou des objets différents, l'article s'accorde en genre et en nombre avec le nom auquel il se rapporte. *Cette amie est la plus gentille de toutes ces personnes.*

Quand la comparaison porte sur des états distincts du même être ou du même objet, l'article est neutre et invariable. *C'est le matin qu'elle est le plus en forme.*

### Dans un nom propre

Si l'article fait partie d'un nom géographique, d'un titre, d'un nom de bateau, il s'écrit avec une majuscule. *Elle lit* Le Devoir. *Il revient de* La Havane.

### À la place du possessif

L'article défini s'emploie quand le nom employé sans adjectif désigne une partie du corps ou une faculté de l'esprit. *Il a mal à la tête. Elle s'est fracturé la jambe. Elle a perdu la tête.*

L'article s'emploie généralement devant un complément de manière. *Ils marchent la main dans la main.*

V. Tableau – **LE, LA, LES,** PRONOMS PERSONNELS.

# Le, la, les, pronoms personnels

Les pronoms *le, la, les* remplacent un nom de personnes, de choses déjà exprimé. *Quand Étienne sera de retour, préviens-le de notre arrivée prochaine. Ce film est excellent, je te le conseille.*

☞ Les pronoms *le, la, les* accompagnent toujours un verbe (*je les aime*) tandis que les articles *le, la, les* accompagnent toujours un nom (*les personnes que j'aime*).

## FORME

Les pronoms *le, la* s'élident devant un verbe commençant par une voyelle ou un *h* muet. *Je l'aime, tu l'honores.*

## PLACE DU PRONOM

• Il se place généralement **avant** le verbe. *Ce vélo, je le veux.*

• Si le verbe est à l'impératif dans une construction affirmative, le pronom se place **après** le verbe auquel il est joint par un trait d'union. *Admirez-le.*

• Par contre, dans une construction négative, le pronom se place **avant** le verbe. *Ne l'admirez pas.*

• Si le verbe comporte plusieurs pronoms compléments, le complément d'objet direct se place **avant** le complément d'objet indirect et se joint au verbe et au complément d'objet indirect par des traits d'union. *Donne-le-moi.*

## ATTRIBUT

Le pronom s'accorde en genre et en nombre avec le sujet accompagné d'un article défini ou du démonstratif. *Cette passionnée de cinéma, je la suis.*

## ACCORD DU PARTICIPE PASSÉ

Le participe passé reste invariable si le complément d'objet direct est le pronom neutre *le*. *Les groupes étaient plus divisés que nous ne l'avions prévu.*

V. Tableau – **LE, LA, LES,** ARTICLES DÉFINIS.

········· ① ·········

À l'impératif, ne pas oublier le trait d'union entre le verbe et les pronoms, dans les constructions affirmatives :

> dites-moi
> faites-le
> laissez-la
> donnez-nous-les
> dites-le-lui...

mais,

> ne me dites pas
> ne le faites pas
> ne la laissez pas
> ne nous les donnez pas
> ne le lui dites pas...

# Lettre type

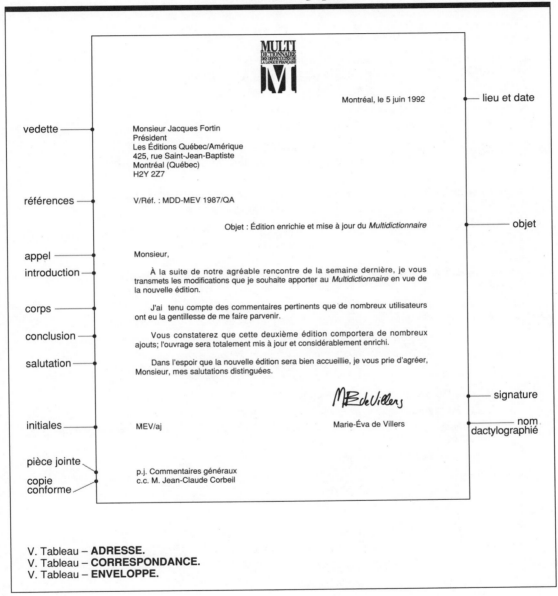

MULTI
DICTIONNAIRE
DES DIFFICULTÉS DE
LA LANGUE FRANÇAISE
M

Montréal, le 5 juin 1992 — **lieu et date**

**vedette** —

Monsieur Jacques Fortin
Président
Les Éditions Québec/Amérique
425, rue Saint-Jean-Baptiste
Montréal (Québec)
H2Y 2Z7

**références** —

V/Réf. : MDD-MEV 1987/QA

Objet : Édition enrichie et mise à jour du *Multidictionnaire* — **objet**

**appel** —

Monsieur,

**introduction** —

À la suite de notre agréable rencontre de la semaine dernière, je vous transmets les modifications que je souhaite apporter au *Multidictionnaire* en vue de la nouvelle édition.

**corps** —

J'ai tenu compte des commentaires pertinents que de nombreux utilisateurs ont eu la gentillesse de me faire parvenir.

**conclusion** —

Vous constaterez que cette deuxième édition comportera de nombreux ajouts; l'ouvrage sera totalement mis à jour et considérablement enrichi.

**salutation** —

Dans l'espoir que la nouvelle édition sera bien accueillie, je vous prie d'agréer, Monsieur, mes salutations distinguées.

*MEdeVillers* — **signature**

**initiales** —

MEV/aj

Marie-Éva de Villers — **nom dactylographié**

**pièce jointe** —
**copie conforme** —

p.j. Commentaires généraux
c.c. M. Jean-Claude Corbeil

V. Tableau – **ADRESSE.**
V. Tableau – **CORRESPONDANCE.**
V. Tableau – **ENVELOPPE.**

# Liaison

La liaison est l'action de prononcer la consonne finale d'un mot placé devant un mot commençant par une voyelle ou un *h* muet.

**• La liaison se fait TOUJOURS**

Entre l'article et le nom. *Les* (z) *amis.*

Entre l'adjectif et le nom. *Les bons* (z) *amis.*

Entre le pronom et le verbe. *Nous* (z) *aimons. Je vous* (z) *aime.*

Entre le verbe et le nom ou l'adjectif attribut. *Ils sont* (t) *appréciés.*

Entre la préposition et le mot qui la suit. *Dès* (z) *aujourd'hui.*

Entre l'adverbe et le mot qui le suit. *Ils sont plus* (z) *aimables.*

Dans la plupart des locutions, des mots composés. *Petit* (t) *à petit.*

**• La liaison se fait PARFOIS**

Entre le nom et le complément. *Les professeurs* (z) *en voyage.*

Entre le nom et l'adjectif. *Les fillettes* (z) *adorables.*

Entre le nom qui est sujet et le verbe. *Les fillettes* (z) *ont joué.*

Entre le verbe et son complément. *Ils allèrent* (t) *au bois.*

**• La liaison ne se fait JAMAIS**

Devant un nom commençant par un *h* aspiré. *Les / handicapés.*
V. Tableau – **H ASPIRÉ ET H MUET.**

Après un mot se terminant par une consonne muette. *Le puits / et le seau.*

Après un signe de ponctuation. *Voici des fruits, / une assiette.*

Devant un adjectif numéral : ***un, onze, onzième, huit, huitième.*** *Vous avez / onze ans.*

Devant les mots étrangers commençant par *y. Des / yaourts.*

**En liaison :** Les lettres *s* et *x* se prononcent *z. Les* (z) *iris. Dix* (z) *oranges.*

La lettre *d* se prononce *t. Un grand* (t) *homme.*

La lettre *g* se prononce *g* dans la langue courante. *Un long* (g) *hiver.*

La lettre *g* se prononce *k* dans certains emplois figés. *Suer sang* (k) *et eau. Qu'un sang* (k) *impur.* (La Marseillaise)

La lettre *f* se prononce *v. Du vif* (v) *argent.*

. . . . . . . . . . . . . . . . . . . . . . . . . . . . . . . . . . . . . . . . . . . . . . . . . . . . . . . . . . .

Attention aux liaisons fautives :

*Il a invité les vingt (z) enfants.

*Les (z) Hollandais sont arrivés.

*Je n'aime pas les (z) haricots.

. . . . . . . . . . . . . . . . . . . . . . . . . . . . . . . . . . . . . . . . . . . . . . . . . . . . . . . . . . .

# Locutions

Groupe de mots ayant une fonction grammaticale particulière.

• La **locution verbale** joue le rôle d'un verbe. Elle est composée :

    – d'un verbe et d'un nom employé sans article.
       *Avoir besoin. Faire illusion.*

    – d'un verbe et d'un adjectif.
       *Tenir bon. Être quitte.*

    – de deux verbes.
       *Laisser faire. Faire croire.*

    ☞ À l'exception du verbe, les éléments composant une locution verbale sont généralement invariables. *Les enfants ont raison : ils doivent faire attention à cet accord.*

• La **locution adverbiale** a valeur d'adverbe.
    *Tout à coup, à bâtons rompus.*

• La **locution adjective** joue le rôle d'un adjectif.
    *Un chercheur de talent. Un tableau de prix.*

• La **locution nominale** ou **nom composé** joue le rôle d'un nom.
    *Une pomme de terre, un arc-en-ciel.*

    V. Tableau – **NOMS COMPOSÉS.**

• La **locution pronominale** a valeur de pronom.
    *Les autres. Ceux-là.*

(1) • La **locution prépositive** a valeur de préposition.
    *Jusqu'à, en haut de.*

(2) • La **locution conjonctive** joue le rôle d'une conjonction.
    *Afin que, jusqu'à ce que.*

• La **locution interjective** a valeur d'interjection.
    *Allons donc! Beau dommage!*

| EXEMPLES DE LOCUTIONS VERBALES |
|---|
| Aller à pied |
| Aller chercher |
| S'en aller |
| Avoir à cœur |
| Avoir affaire |
| Avoir l'air |
| Avoir besoin |
| Avoir beau |
| Avoir confiance |
| Avoir envie |
| Avoir faim |
| Avoir mal |
| Avoir peur |
| Avoir sommeil |
| Couper court |
| Crier famine |
| Donner cours |
| Donner lieu |
| Entendre raison |
| Être d'accord |
| Être fondé |
| Être mal venu |
| Faire défaut |
| Faire face |
| Faire faire |
| Faire pitié |
| Faire semblant |
| Faire tomber |
| Lier conversation |
| Livrer bataille |
| Passer sous silence |
| Perdre patience |
| Porter bonheur |
| Prendre garde |
| Savoir gré |
| Tenir bon |

. . . . . . . . . . . . . . . . . . . . . . . . . . . (1) . . . . . . . . . . . . . . . . . . . . . . . .
Voir aussi une liste de locutions prépositives au tableau
**– PRÉPOSITION.**

. . . . . . . . . . . . . . . . . . . . . . . . . . . (2) . . . . . . . . . . . . . . . . . . . . . . . .
Voir aussi une liste de locutions conjonctives au tableau
**– CONJONCTION.**

. . . . . . . . . . . . . . . . . . . . . . . . . . . . . . . . . . . . . . . . . . . . . . . . . . . . . . . .

# Main

Partie du corps humain, composée de cinq doigts, qui termine le bras et sert à toucher et à saisir.

☞— Dans les locutions dont il fait partie, le nom **main** s'écrit parfois au singulier, parfois au pluriel.

*À main armée.* — Les armes à la main.
*À pleines mains.* — Abondamment.
*Avoir, tenir en main.* — Avoir à sa disposition.
*Avoir la main haute.* — Diriger.
*Avoir le cœur sur la main.* — Être très généreux.
*Avoir les mains libres.* — Avoir toute latitude.
*Avoir les mains pleines de pouces.* — Au Canada, être maladroit.
*Avoir sous la main.* — Avoir à sa portée.

*Changer de main.* — Faire passer d'une main à une autre.
*Changer de main(s).* — Passer d'un propriétaire à un autre.
*Coup de main.* — Aide momentanée.

*De la main à la main.* — Sans intermédiaire.
*De longue main.* — Depuis longtemps.
*De main de maître.* — Avec habileté.
*De main en main.* — D'une personne à une autre.
*De première main.* — Directement, de source sûre.
*De seconde main.* — Indirectement.
*Dessiner à main levée.* — D'un seul trait.

*En bonnes mains.* — À une personne compétente.
*En main(s) propre(s).* — Dans les mains de la personne intéressée.
*En un tour de main.* — Rapidement.
*En venir aux mains.* — Se battre.

*Faire des pieds et des mains.* — Multiplier les démarches.
*Faire main basse sur quelque chose.* — Voler.
*Fait, cousu main.* — Fait à la main.
*Forcer la main à quelqu'un.* — Obliger quelqu'un.

*Haut la main.* — Facilement, avec autorité.
*Haut les mains!* — Sommation de lever les bras.
*Homme de main.* — Homme d'exécution.

*Lever la main sur quelqu'un.* — S'apprêter à le frapper.

*Main courante.* — Partie supérieure d'une rampe d'escalier.
*Mettre la dernière main à quelque chose.* — Terminer, achever quelque chose.
*Mettre la main à la pâte.* — Participer, travailler soi-même.

*Ne pas y aller de main morte.* — Attaquer avec vivacité.

*Passer la main.* — Renoncer à une fonction.
*Perdre la main.* — Perdre l'habitude.
*Poignée de main, des poignées de main.* — Geste par lequel on serre la main de quelqu'un.
*Porter la main sur quelqu'un.* — Frapper quelqu'un.
*Prendre en main quelqu'un, quelque chose.* — Se charger de quelqu'un, de quelque chose.
*Prendre la main dans le sac.* — En flagrant délit.

*Se faire la main.* — S'exercer.
*Se laver les mains de quelque chose.* — Dégager sa responsabilité.
*Se prendre par la main.* — S'obliger à faire quelque chose.
*Sous la main.* — À sa disposition.

*Tendre la main à quelqu'un.* — Offrir son aide, son amitié.

*Voter à main levée.* — Exprimer son suffrage par ce geste de la main.

# Majuscules et minuscules

La majuscule initiale sert à mettre en évidence les noms propres. S'il est facile d'identifier les **noms propres par essence** (noms de personnes, de dieux, d'astres...), il est beaucoup plus délicat de traiter les noms communs qui accèdent à la qualité de **noms propres par occasion** (noms géographiques, historiques, odonymes, dénominations diverses), pour marquer l'unicité ou la spécificité d'une dénomination.

## EMPLOI DE LA MAJUSCULE

• Au premier mot d'une phrase.
  *La rencontre aura lieu le 29 mars. D'ici là, précisons nos projets.*

• Après les points d'interrogation, d'exclamation, de suspension quand ces points terminent effectivement la phrase.
  *Serez-vous présent? Veuillez communiquer avec nous...*

• Après un deux-points introduisant :
  – une **citation**. *Et celui-ci de répondre : «L'art d'aimer, je connais».*
  – une **énumération** où les jalons énumératifs sont un numéro ou une lettre de classification suivi d'un point (*1., 2., A., B.*), d'un chiffre d'ordre (*1°, 2°*). *1. Introduction 2. Hypothèses...*

  ☞ Dans une énumération où les jalons énumératifs sont des tirets, la minuscule est plus courante; si l'énumération se fait à l'intérieur d'un paragraphe, dans le corps du texte, la minuscule s'impose. *1- introduction 2- hypothèses... Le texte se divise ainsi : introduction, hypothèses...*

• Le nom de Dieu.
  *Dieu, Notre-Seigneur, le Père éternel.*

• Les noms de personnes (patronymes, prénoms, surnoms).
  *Félix Leclerc. Jean-Baptiste Poquelin, dit Molière.*

  ☞ La particule nobiliaire s'écrit avec une minuscule. *Alfred de Vigny.*

• Les noms de dieux païens.
  *Hermès, Aphrodite, Neptune.*

• Les noms d'astres (étoiles, planètes, constellations, comètes) et les signes du zodiaque.
  *Le Soleil, Saturne, le Sagittaire.*

  ☞ 1° Le mot déterminant de la désignation prend une majuscule ainsi que l'adjectif qui le précède. *L'étoile Polaire, la Grande Ourse.*
      2° Les mots *lune, soleil, terre* s'écrivent avec une majuscule lorsqu'ils désignent la planète, l'astre lui-même, notamment dans la langue de l'astronomie; ils s'écrivent avec une minuscule dans les autres utilisations. *La Terre tourne autour du Soleil. Un beau coucher de soleil, le clair de lune.*

• Les noms de points cardinaux.
  *L'Amérique du Sud. Boulevard René-Lévesque Ouest. Le pôle Nord.*

  V. Tableau – **POINTS CARDINAUX**.

• Les noms géographiques.
  *Le Québec, Montréal, le Saint-Laurent.*

suite →

# Majuscules et minuscules suite

☞ 1° Les génériques de géographie accompagnés par un nom propre ou par un adjectif spécifique s'écrivent avec une minuscule, tandis que le nom propre ou l'adjectif spécifique prend la majuscule. *Les montagnes Rocheuses, le golfe Persique, l'océan Atlantique, le mont Everest.*

2° Les dénominations géographiques composées où le nom est accompagné d'un adjectif qui souvent le précède et qui est nécessaire à son identification s'écrivent avec une majuscule. *Le Proche-Orient, le Grand Nord, la Nouvelle-Angleterre, Terre-Neuve, les Grands Lacs.*

V. Tableau – **GÉOGRAPHIQUES** (NOMS).

• Les noms de véhicules (bateaux, avions, engins spatiaux, etc.).
*Le Concorde, le France.*

☞ L'article s'écrit avec une majuscule s'il fait réellement partie du nom.

• Les noms de peuples.
*Les Québécois, les Belges, les Suisses et les Français.*

☞ Employés comme adjectifs, ces mots s'écrivent avec une minuscule. *Le drapeau québécois.* Par contre, les noms d'adeptes de religions, de partis politiques, d'écoles artistiques, d'ordres religieux s'écrivent avec une minuscule. *Les chrétiens, les libéraux, les impressionnistes, les jésuites.*

V. Tableau – **PEUPLES** (ÉCRITURE DES NOMS DE).

• Les noms d'évènements historiques. Seul le mot caractéristique de la désignation et l'adjectif qui le précède s'écrivent avec une majuscule, alors que le générique s'écrit avec une minuscule.
*La bataille des Plaines d'Abraham, la Renaissance, le Moyen Âge.*

• Les noms de fêtes religieuses, nationales s'écrivent avec une majuscule au mot caractéristique et à l'adjectif qui le précède.
*Le jour de l'An, le Nouvel An, le jour des Rois, le Mardi gras, le mercredi des Cendres, le Vendredi saint, Pâques, la Saint-Jean, la fête du Travail, la Toussaint, Noël.*

• Les odonymes, les noms de places, de monuments.

– Ces noms s'écrivent avec une majuscule au mot caractéristique et une minuscule au mot générique (rue, avenue, boulevard, jardin, square).
*La rue Notre-Dame, la statue de la Liberté.*

– Quand la désignation spécifique est composée de plusieurs éléments, ceux-ci sont reliés par des traits d'union.
*Elle habite avenue Antonine-Maillet, rue Monsieur-le-Prince, le square du Vert-Galant.*

• Les noms d'établissements d'enseignement (écoles, collèges, instituts...), de sociétés savantes, de musées, de bibliothèques.

– Les génériques de ces dénominations suivis d'un adjectif s'écrivent avec une majuscule.
*L'École polytechnique. La Bibliothèque nationale.*

– Les génériques s'écrivent avec une minuscule.
*Le collège Brébeuf. L'école de musique Vincent-d'Indy, l'institut Armand-Frappier.*

☞ On écrira la désignation avec une majuscule initiale, s'il y a lieu, pour respecter le nom officiel de l'établissement.

• Les noms d'organismes publics ou privés, de sociétés, d'institutions. On emploie généralement la majuscule au premier nom de ces diverses dénominations.

suite ➡

# Majuscules et minuscules suite

*La Société générale de financement, l'Assemblée nationale, l'Office de la langue française, le Centre national de la recherche scientifique.*

☞ Pour les noms de ministères, la règle diffère; en effet, c'est le nom du domaine d'activité spécifique qui s'écrit avec une majuscule, tandis que le nom **ministère** et les adjectifs de la désignation s'écrivent avec des minuscules. *Le ministère des Affaires culturelles, le ministère de l'Industrie et du Commerce.*

• Les raisons sociales. En plus des noms propres qui prennent la majuscule (noms de personnes, de lieux, etc.), seuls le premier mot du générique et le premier mot du distinctif prennent une majuscule.
*Agence de voyages Beauchesne, Pâtisserie Aux mille délices.*

V. Tableau – **RAISON SOCIALE**.

• Les titres de civilité, les titres honorifiques, les suscriptions prennent une majuscule.
*M. Larochelle, Son Excellence, Madame.*

V. Tableau – **TITRES DE FONCTIONS.**

• Les titres d'ouvrages, d'œuvres d'art, les noms de journaux, de périodiques prennent une majuscule au premier nom et éventuellement à l'adjectif et à l'article qui le précède.
*Le Dictionnaire visuel junior, les Lettres de mon moulin, le Petit Prince.*

☞ 1° L'article défini ne prend la majuscule que s'il fait partie du titre. *J'ai lu* L'Art d'aimer *d'Ovide.*

2° Si un adjectif précède le substantif, tous deux prennent la majuscule. *La Divine Comédie, le Grand Larousse de la  langue française, Le Bon Usage.*

3° Si un adjectif suit le substantif, il s'écrit avec une minuscule. *Les Femmes savantes.*

4° Si le titre est constitué de plusieurs mots clés, chacun s'écrit avec une majuscule. *Guerre et Paix. Le Lièvre et la Tortue.*

5° Lorsqu'un titre est constitué d'une phrase, seul le premier mot s'écrit avec une majuscule. *À la recherche du temps perdu.*

V. Tableau – **TITRES D'ŒUVRES**.

## EMPLOI DE LA MINUSCULE

• Les titres et dignités.
*L'empereur, le roi, le président, le premier ministre.*

• Les noms de langues.
*Le français et l'anglais.*

• Les noms de religions.
*Le christianisme, le bouddhisme.*

• Les noms des membres des ordres monastiques.
*Les dominicains, les jésuites.*

• Les titres religieux.
*Le pape, le cardinal, le curé.*

• Les noms des mois, des jours de la semaine.
*Le mois de mars; lundi, mardi.*

• Les noms de pays, de régions donnés aux produits qui en sont originaires.
*Un champagne, un cheddar, un hollande, un médoc, un oka.*

• Les juridictions n'ayant pas de caractère unique.
*La cour supérieure, la cour d'appel.*

# Même

---

**MÊME,** ADJECTIF INDÉFINI

- Devant un nom et précédé d'un déterminant (**le, la, les, un, une...**) :
  – il marque la ressemblance, l'identité.
    *Elle a lu le même article plusieurs fois. Il porte les mêmes chaussettes que lui. Une même complicité les réunit.*

- Après le nom :
  – il insiste sur la personne ou la chose dont on parle et qu'il marque expressément.
    *Ce sont les paroles mêmes qu'il a prononcées.*

  – il marque une qualité possédée au plus haut point.
    *Cette personne est l'intégrité même, est la sagesse et l'intégrité mêmes.*

  ☞— Il n'est pas toujours possible de distinguer l'adjectif de l'adverbe dans cet emploi. Selon l'intention de l'auteur, le mot s'accorde ou demeure invariable. *Il craignait sa colère, son silence mêmes* (au sens de **eux-mêmes**) ou *sa colère, son silence même* (au sens de **même son silence**).

- Après un pronom :
  – l'adjectif insiste sur l'identité de la personne et s'accorde en nombre avec celui-ci et s'y joint par un trait d'union.
    *Moi-même, toi-même, lui-même, elle-même, soi-même, nous-mêmes, vous-mêmes, eux-mêmes, elles-mêmes.*

**MÊME,** PRONOM INDÉFINI

- Toujours employé avec un déterminant (**le, la, les, un, une...**), il a la même signification que l'adjectif indéfini et marque l'identité de la personne, la permanence de sa façon d'être.
  *Elle est toujours la même. Ce sont toujours les mêmes qui osent parler.*

- **Cela revient au même**. Cela revient à la même chose.

**MÊME,** ADVERBE

Aussi, jusqu'à, y compris. Placé devant un nom, un adjectif, ou accompagnant un verbe, le mot est adverbe et par le fait même, invariable.
*Même les plus habiles ne pourront réussir. Elle est aimable et même généreuse. Il ignorait même son nom.*

**LOCUTIONS**

**À même de** + infinitif. Apte à, en mesure de. *Ils sont à même d'effectuer les calculs.*

**À même**, locution prépositive. Directement. *Boire à même la bouteille.*

**De même**, locution adverbiale. De même manière. *Nous devrions faire de même.*

**De même que**, locution conjonctive. Comme, ainsi que.

☞— Dans cette locution qui implique un **rapport de comparaison**, le verbe et l'attribut sont au singulier et la comparaison est généralement placée entre virgules. *Paul, de même que Pierre, est gentil.*

**Quand même, quand bien même**, locutions conjonctives. Même si. *Quand bien même il neigerait à plein ciel, nous irons.*

**Tout de même**, locution adverbiale. Quand même. *Elle était malade, elle est sortie tout de même.*

# Mille, million, milliard

## MILLE

- **Adjectif numéral invariable.** Dix fois cent.
  *Ils ont recueilli trois mille dons.*

- **Nom masculin invariable**. Le nombre mille.
  *Elle a dessiné des mille en chiffres dorés.*

☞— *Mille*, adjectif numéral ou nom est toujours invariable. Dans la composition des nombres, l'adjectif numéral n'est pas lié par un trait d'union au chiffre qui le précède ni à celui qui le suit. *Six mille deux cent trente-deux.*

- **Expression numérique**. 1 000 ou $10^3$ (notation scientifique).
  Son symbole est **k** et le préfixe qui multiplie une unité par mille est ***kilo-***.

- **Écriture des sommes d'argent**
  Généralement, on utilise l'expression numérique et on remplace le nom de l'unité monétaire par son symbole. Le symbole suit l'expression numérique et en est séparé par un espace.
  *Le prix de cette voiture est de 18 000 $.*

  ☞— Si le nombre est écrit en toutes lettres, le symbole de l'unité monétaire ne peut être utilisé, il faut alors écrire le nom de l'unité monétaire au long. *Le prix est de huit mille dollars.*

  V. Tableau – **SYMBOLES DES UNITÉS MONÉTAIRES.**

- **Dates**
  – Pour les dates de l'ère chrétienne jusqu'à l'an 2000, on écrit **mil** ou **mille** devant un autre nombre.
    *L'an mil neuf cent quatre-vingt-onze. L'an mille huit cent.*

  – À compter du XXIᵉ siècle, on écrira **mille**.
    *L'an deux mille douze.*

☞— Ne pas confondre avec le mot ***mille*** qui désigne une mesure de distance valant 5 280 pieds. *Il a marché pendant plusieurs milles.*

## MILLION

- **Nom masculin**. Comme le mot **milliard**, le mot **million** est un nom qui prend la marque du pluriel.
  *Le total est de dix millions deux cent vingt mille.*

☞— Les adjectifs numéraux ***vingt*** et ***cent*** prennent la marque du pluriel s'ils sont multipliés par un nombre et ne sont pas suivis d'un autre adjectif numéral. Le mot ***million*** est un nom, on écrira donc : *Quatre-vingts millions de francs.*

- **Expression numérique**. 1 000 000 ou $10^6$ (notation scientifique).
  Son symbole est **M** et le préfixe qui multiplie une unité par un million est ***méga-***.

- **Écriture des sommes d'argent**
  La somme de 30 000 000 $ peut être notée également 30 millions de dollars parce que le mot ***million*** n'est pas un adjectif numéral, mais un nom. Si l'adjectif numéral qui précède le mot ***million*** est écrit en toutes lettres, le nom de l'unité monétaire doit être écrit au long.
  *Trente millions de dollars.*

  ☞— Le symbole de l'unité monétaire suit l'expression numérique et en est séparé par un espace.

  EN RÉSUMÉ, voici les trois possibilités : 30 000 000 $,
  30 millions de dollars,
  trente millions de dollars.

suite ➡

# Mille, million, milliard suite

**MILLIARD**

(1)

• **Nom masculin**. Comme le mot **million**, le mot **milliard** est un nom qui prend la marque du pluriel.
*Le total s'élève à trois milliards, le nombre est de sept milliards cinq cent trente-sept mille.*

☛ Les adjectifs numéraux **vingt** et **cent** prennent la marque du pluriel s'ils sont multipliés par un nombre et ne sont pas suivis d'un autre adjectif numéral. Le mot **milliard** est un nom, on écrira donc : *Quatre-vingts milliards de francs.*

• **Expression numérique.** 1 000 000 000 ou $10^9$ (notation scientifique).
Son symbole est **G** et le préfixe qui multiplie une unité par un milliard est **giga-**.

• **Écriture des sommes d'argent**
La somme de 45 000 000 000 $ peut être notée également 45 milliards de dollars parce que le mot **milliard** n'est pas un adjectif numéral, mais un nom. Si l'adjectif numéral qui précède le mot **milliard** est écrit en toutes lettres, le nom de l'unité monétaire doit être écrit au long.
*Quarante-cinq milliards de dollars.*

☛ Le symbole de l'unité monétaire suit l'expression numérique et en est séparé par un espace.

EN RÉSUMÉ, voici les trois possibilités : 45 000 000 000 $,
45 milliards de dollars,
quarante-cinq milliards de dollars.

---

· · · · · · · · · · · · · · · · · · · · · · (1) · · · · · · · · · · · · · · · · · · · · · · ·

Ne pas confondre :

- le nom français **billion** qui représente un million de millions ou un millier de milliards ($10^{12}$) avec le nom américain «billion» employé aux États-Unis ainsi qu'au Canada anglais et dont l'équivalent français est **milliard** ($10^9$)

☛ Par contre, le mot anglais (Grande-Bretagne) «billion» correspond au mot français **billion**.

- ni le nom français **trillion** qui représente un billion de millions ($10^{18}$) avec le nom américain «trillion» qui égale un billion de mille ($10^{12}$).

· · · · · · · · · · · · · · · · · · · · · · · · · · · · · · · · · · · · · · · · · · · · · · · · ·

# Moins

**COMPARATIF** de l'adverbe *peu*

- **À moins que** + subjonctif.
  *À moins qu'il ne vienne ce soir, je crois qu'elle choisira un autre copain.*

☞ On emploie généralement le *ne* explétif.

- **À moins de** + infinitif.
  *À moins d'être fou, il renoncera à ce projet.*

- **Moins... moins, moins... plus.**
  *Moins il travaille, moins il réussit. Moins elle réussit, plus elle fait des efforts.*

- **Moins de** + quantité.
  *Ils sont moins de mille participants.*

- **Moins que** + comparaison.
  *Elles sont moins directes que leurs frères.*

- **Moins de deux** + verbe.
  *Moins de deux ans séparent ces évènements.*

☞ 1° Dans cette construction, le verbe se met au pluriel, malgré la logique.
2° Par contre, le verbe se met au singulier après l'expression **plus d'un**. *Plus d'un étudiant a peiné sur ce travail.*

**SUPERLATIF**

- **Le moins que** + subjonctif.
  *Cette maison est la moins chère que nous puissions trouver.*

☞ Le verbe se met généralement au subjonctif; on peut employer l'indicatif si l'on veut marquer davantage la réalité que la possibilité. *Cette maison est la moins chère que nous avons trouvée.*

- **Des moins.**
☞ 1° L'adjectif ou le participe passé qui suit **des moins, des plus, des mieux** se met au pluriel et s'accorde en genre avec le sujet déterminé. *Cette personne est des moins compétentes. Un véhicule des moins performants.*
2° Si le sujet est indéterminé, l'adjectif ou le participe reste invariable. *Acheter ces titres miniers est des moins sûr.*

**LOCUTIONS**

– **De moins en moins.** En diminuant graduellement.

– **Ni plus ni moins que.** Exactement autant. *Je lui ai donné ni plus ni moins que 20 $.*

– **Au moins.** Au minimum. *Il a perdu au moins 5 kilos.*

– **En moins de.** Dans un moindre espace de temps. *En moins de quatre mois, ce sera terminé.*

– **Tout au moins, à tout le moins, pour le moins, au moins, du moins.**
☞ Ces locutions marquent une restriction. *S'il n'était pas très travailleur, au moins il était compétent et honnête.*

– **À moins de.**
☞ Cette locution peut se construire : – avec un nom. *À moins d'un revirement inattendu.*
– avec un infinitif. *À moins de construire des écoles.*
– avec **que** et l'infinitif. (Litt.) *À moins que de mourir.*

# Multiples et sous-multiples décimaux

• Les multiples et les sous-multiples sont formés à l'aide de préfixes qui se joignent sans espace aux unités de mesure. *Trois kilogrammes, un mégawatt, deux centimètres, quatre milligrammes.*

① • Les symboles de ces préfixes se joignent de la même façon aux symboles des unités de mesure. *3 kg, 1 MW, 2 cm, 4 mg* (s'écrivent sans points).

| | PRÉFIXE | SYMBOLE | EXPRESSION NUMÉRIQUE | NOTATION SCIENTIFIQUE |
|---|---|---|---|---|
| ② **Multiples** | exa- | E | 1 000 000 000 000 000 000 | $10^{18}$ |
| | péta- | P | 1 000 000 000 000 000 | $10^{15}$ |
| | téra- | T | 1 000 000 000 000 | $10^{12}$ |
| | giga- | G | 1 000 000 000 | $10^{9}$ |
| | méga- | M | 1 000 000 | $10^{6}$ |
| | kilo- | k | 1 000 | $10^{3}$ |
| | hecto- | h | 100 | $10^{2}$ |
| | déca- | da | 10 | $10^{1}$ |
| | | | 1 | $10^{0}$ |
| ③ **Sous-multiples** | déci- | d | 0,1 | $10^{-1}$ |
| | centi- | c | 0,01 | $10^{-2}$ |
| | milli- | m | 0,001 | $10^{-3}$ |
| | micro- | µ | 0,000 001 | $10^{-6}$ |
| | nano- | n | 0,000 000 001 | $10^{-9}$ |
| | pico- | p | 0,000 000 000 001 | $10^{-12}$ |
| | femto- | f | 0,000 000 000 000 001 | $10^{-15}$ |
| | atto- | a | 0,000 000 000 000 000 001 | $10^{-18}$ |

......................... ① .........................

Les symboles ne prennent pas la marque du pluriel.
*2 kg, 4 mg.*

......................... ② .........................

Un multiple est un nombre obtenu par la multiplication d'un élément par un autre.

Le nom **kilowatt** désigne un millier de watts
(1 watt x 1 000).

Le nom **méga-octet** désigne un million d'octets.
(1 octet x 1 000 000).

......................... ③ .........................

Un sous-multiple est un nombre obtenu par la division d'un élément par un autre.

Le nom **nanoseconde** désigne un milliardième de seconde
(1 seconde ÷ 1 000 000 000).

Le nom **centimètre** désigne un centième de mètre
(1 mètre ÷ 100).

.........................................................

# Ne, non

## NE, ADVERBE DE NÉGATION

Adverbe qui se place devant un verbe pour indiquer la négation et qui est généralement accompagné des mots **pas, plus, point, jamais, aucun, aucunement, nul, nullement, personne, rien...**
*Elle ne part pas, il ne joue plus à la balle, ils n'ont rien mangé.*

L'adverbe s'élide devant une voyelle ou un **h** muet.
*Elle n'aime pas les tomates, il n'habite plus là.*

Une phrase qui contient un adverbe de négation est une phrase négative.

• **Ne... que**, locution restrictive (signifiant «seulement»).
*Il ne lit que des bandes dessinées.*

• **Ne**, employé seul
– Dans certains proverbes, dans certaines expressions toutes faites.
*Qui ne dit mot consent. Qu'à cela ne tienne.*
– Avec les verbes **savoir, cesser, oser, pouvoir, avoir,** suivis de **que** interrogatif et d'un infinitif.
*Il ne sait que dire. Elle n'a que faire de ses conseils.*

## NON, ADVERBE DE NÉGATION

• **Emplois**
– Dans une réponse négative.
*Serez-vous présent? Non.*
– Au début d'une phrase négative.
*Non, je ne pourrai être là.*
– Avec un nom.
*C'est une pomme que j'aimerais, non une poire.*
– Avec un adjectif, un participe.
*Elle est gentille et non compliquée.*
– Avec un pronom.
*Vous êtes invités, mais non eux.*
– Avec un infinitif.
*Ils veulent manger et non boire.*

• **Locutions adverbiales**
– **Non plus.** Pas davantage.
*Tu n'as pas aimé ce film. Moi non plus.*
– **Non seulement... mais (encore).**
*Il est non seulement habile, mais très expérimenté.*

## NON, NOM MASCULIN INVARIABLE

Expression du refus. *Opposer un non catégorique, des non.*

# Néologisme

Un néologisme est un mot nouveau ou un sens nouveau accordé à un mot existant; la néologie est la façon selon laquelle une langue s'enrichit de mots nouveaux.

## CRÉATIVITÉ LEXICALE

La néologie témoigne de la créativité d'une langue qui répond au besoin de désigner des choses nouvelles par la création d'un mot plutôt que par l'emprunt d'un terme étranger. Toutefois, le néologisme ne se justifie que dans la mesure où la langue ne dispose pas déjà d'un mot pour nommer une réalité nouvelle, pour préciser un concept original. Les noms *imprimante, ordinateur* sont des néologismes qui traduisent efficacement les nouvelles réalités techniques qu'ils désignent, tout en s'intégrant beaucoup mieux au système linguistique français que les mots d'origine, «printer» et «computer».

## TERMES SCIENTIFIQUES ET TECHNIQUES

Les néologismes se créent majoritairement dans les domaines scientifiques et techniques où l'évolution est la plus rapide, où les innovations, les découvertes exigent des désignations.

## FORMATION GRÉCO-LATINE

Les néologismes scientifiques sont souvent créés à l'aide des racines grecques et latines qui produisent des préfixes, des suffixes dont le sens est connu. Ainsi, dans le domaine du traitement électronique des données, le néologisme *infographie,* qui désigne une application de l'informatique à la représentation graphique et au traitement de l'image, est composé de *info-*, élément du latin «informatio» signifiant «information» et de *-graphie*, élément du grec «graphein» signifiant «écrire».

## FORMATION DE NÉOLOGISMES PAR DÉRIVATION

- Radical + suffixe
  - *Bureau* + suffixe *-tique = bureautique*, sur le modèle de *mathématique, informatique*.
  - *Didacti-* + suffixe *-ciel = didacticiel*, sur le modèle de *logiciel*.

- Par dérivation se constituent des familles de mots.
  *Bureautique* engendre *bureauticien, bureautiser*.

## FORMATION DE NÉOLOGISMES PAR COMPOSITION

- Préfixe + radical
  - Préfixe *micro-* signifiant «petit» + radical *ordinateur* = *micro-ordinateur*.
  - Préfixe *méga-* signifiant «million» + radical *octet* = *méga-octet*.
  - Préfixe *télé-* signifiant «à distance» + radical *copieur* = *télécopieur*.

- Juxtaposition d'éléments pour composer un mot, une expression.
  *Banque de données, traitement de texte, imprimante à laser*.

V. Tableau – **NOMS COMPOSÉS**.

## FORMATION DE NÉOLOGISMES À L'AIDE D'ACRONYMES

Juxtaposition des initiales d'une expression.

- Le mot *BASIC* qui désigne un langage de programmation provient de l'expression *Beginner's All-purpose Symbolic Instruction Code*.
- Le mot *FORTRAN* provient de la contraction de l'expression *FORmula TRANslator*.

V. Tableau – **ACRONYME**.

## ACCEPTIONS NOUVELLES

Attribution d'un sens nouveau à un mot existant. Le mot *programmation* désigne depuis 1930 environ l'établissement de programmes. Vers 1960, avec l'arrivée de l'informatique, le mot reçoit une nouvelle acception pour désigner l'action qui consiste à établir la suite d'instructions d'un programme informatique susceptible de résoudre un problème particulier, d'exécuter une tâche précise.

# Ni

Conjonction de coordination à valeur négative, elle est l'équivalent de la conjonction *et* dans la phrase affirmative et sert à lier des adjectifs, des noms, des pronoms ou des propositions.

• La conjonction marque l'union entre deux éléments dans une phrase négative. *Il n'est pas aimable ni même poli. Elles ont fait du ski sans bonnet ni gants. Le directeur n'a convoqué ni ceux-ci ni ceux-là. Elle ne chante ni ne danse.*

• La conjonction joint plusieurs mots sujets ou compléments d'un verbe à la forme négative. *Ni les filles ni les garçons ne sont d'accord. Il n'aime ni les navets ni les carottes.*

☞ La construction *ni... ni...* s'emploie avec la négation simple *ne*.

*Ni l'un ni l'autre*, locution pronominale indéfinie. Aucun des deux. *Ni l'un ni l'autre ne viendra.*

☞ Avec cette locution, le verbe se met au singulier.

# Nom

Abréviation **n.** (s'écrit avec un point).

Le nom, appelé également **substantif**, est un mot servant à nommer les êtres animés et les choses. *Un nom de famille, un nom d'oiseau.*

Tous les mots de la langue peuvent devenir des noms si leur fonction est de désigner :

| | |
|---|---|
| Un nom commun. | *Une pêche.* |
| Un nom propre. | *Un camembert.* |
| Un verbe. | *Le baiser.* |
| Un adjectif. | *Le beau.* |
| Un pronom. | *Les leurs.* |
| Un adverbe. | *Les alentours.* |
| Une préposition. | *Le dessous.* |
| Une conjonction. | *Les toutefois.* |
| Un acronyme. | *Un laser.* |
| Une expression. | *Le qu'en-dira-t-on.* |

## ESPÈCES DE NOMS

### 1. Noms communs et noms propres

• Les **noms communs** désignent une personne, un animal, une chose concrète ou abstraite qui appartient à une espèce. *Un jardinier, un chat, un arbre, la tendresse.*

• Les **noms propres** ne peuvent désigner qu'un seul être, qu'un seul groupe d'êtres, qu'un seul objet; ils s'écrivent toujours avec une majuscule, car ils individualisent l'être ou l'objet qu'ils nomment.

• Font partie des noms propres :

– Les noms de personnes (prénom, patronyme, surnom). *Étienne, Laforêt, Molière* (surnom de Jean-Baptiste Poquelin).

– Les noms de peuples. *Les Québécois, les Français.*

☞ Les noms de peuples s'écrivent avec une majuscule, mais les adjectifs correspondants et les noms qui désignent une langue s'écrivent avec une minuscule.

suite ➞

# **Nom** suite

– Les noms géographiques ou historiques. *Le Canada, le mont Tremblant, la Renaissance.*
V. Tableau – **GÉOGRAPHIQUES** (NOMS).

– Les noms de véhicules. *Le Nautilus, le Concorde.*

– Les noms d'astres. *Le Soleil, Mercure, la Grande Ourse.*

– Les noms d'œuvres. *L'Île noire. Les Filles de Caleb.*
V. Tableau – **TITRES D'ŒUVRES.**

– Les dénominations. *L'avenue des Érables, la Banque nationale du Canada. Le ministère des Affaires culturelles, le collège Brébeuf, Chez Julien.*

V. Tableau – **MAJUSCULES ET MINUSCULES.**

## 2. Noms individuels et noms collectifs

• Les **noms individuels** sont propres à un être, à un objet, mais peuvent se mettre au pluriel. *Un enfant, une table, des chats.*

• Les **noms collectifs** désignent un ensemble d'êtres ou d'objets. *Foule, groupe, multitude.*

☞ Après un nom collectif suivi d'un complément au pluriel (par exemple : *la majorité des élèves, la foule des passants*), le verbe se met au singulier ou au pluriel suivant l'intention de l'auteur qui veut insister sur l'ensemble ou la pluralité. *La majorité des élèves a réussi, ou ont réussi l'examen.*

V. Tableau – **COLLECTIF.**

## 3. Noms simples et noms composés

• Les **noms simples** sont formés d'un seul mot. *Feuille, boulevard.*

• Les **noms composés** sont formés de plusieurs mots. *Rouge-gorge, arc-en-ciel, hôtel de ville.*

V. Tableau – **NOMS COMPOSÉS.**

## GENRE DU NOM

• Le **masculin**. *Un bûcheron, un chien, un tracteur, le courage.*

• Le **féminin**. *Une avocate, une lionne, une voiture, la candeur.*

V. Tableau – **GENRE.**

## NOMBRE DU NOM

Le nombre des noms est la propriété d'indiquer l'unicité ou la pluralité.

• Le nom au **singulier** désigne un seul être, un seul objet. *Un adolescent, une rose.*

• Le nom au **pluriel** désigne plusieurs êtres ou plusieurs objets. *Des touristes, des lilas, des groupes.*

V. Tableau – **PLURIEL DES NOMS.**

## FONCTIONS DU NOM

Le nom peut être : – Sujet. *Le chien jappe.*
– Complément. *Il mange le gâteau. Le bord de la mer.*
– Attribut. *Elle est ministre.*
– Apposition. *La ville de Québec. Une clientèle cible.*
– Apostrophe. *Marisol, viens dîner!*

# Nombres

## ÉCRITURE DES NOMBRES

### En chiffres

- Dans la langue courante ainsi que dans les textes techniques, scientifiques, financiers ou administratifs, on recourt généralement aux chiffres arabes pour noter les nombres.
  *La fête aura lieu à 15 h 30. La distance entre Montréal et Québec est de 253 km.*

- Pour l'emploi des chiffres arabes ou romains, voir le Tableau – **CHIFFRES**.

### En lettres

- Cependant dans les textes de nature poétique ou littéraire, dans certains documents à portée juridique où l'on désire éviter toute fraude ou toute modification, les nombres s'écrivent parfois en lettres.
  Ex. : Sur un chèque, la somme d'argent est écrite :
      – en chiffres arabes suivis du symbole de l'unité monétaire. *25 $.*
      – puis en toutes lettres. *Vingt-cinq dollars.*

### Avec ou sans trait d'union

- Le trait d'union s'emploie seulement entre les éléments qui sont l'un et l'autre inférieurs à cent, sauf s'ils sont joints par la conjonction **et**.
  *Dix-sept, trente-cinq, quatre-vingt-quatre, vingt et un, cent dix, deux cent trente-deux.*

### Accord des adjectifs numéraux

- Les **adjectifs numéraux cardinaux** déterminent les êtres ou les choses par leur NOMBRE.

  Ces adjectifs sont invariables, à l'exception de :
      – **un** qui peut se mettre au féminin.
          *Trente et une pommes.*

      – **vingt** et **cent** qui prennent la marque du pluriel s'ils sont multipliés par un nombre et s'ils ne sont pas suivis d'un autre adjectif numéral.
          *Quatre-vingts, trois cents, quatre-vingt-huit, trois cent deux, cent vingt.*

      ☞ Alors que le mot *mille* est un adjectif numéral invariable, les mots *millier, million, milliard, billion, trillion*... sont des noms qui, tout à fait normalement, prennent la marque du pluriel. *Des milliers de personnes, trois millions, deux milliards.*

- Les **adjectifs numéraux ordinaux** déterminent les êtres ou les choses par leur ORDRE.

  Ces adjectifs sont formés du nombre cardinal auquel on ajoute la terminaison *ième* (à l'exception de *premier* et de *dernier*); ils prennent tous la marque du pluriel.
  *Les troisièmes pages, les quinzièmes places, les dernières notes.*

- Pour les abréviations des adjectifs numéraux ordinaux, voir le Tableau – **NUMÉRAL** (ADJECTIF).

### Principaux cas d'emploi des nombres en lettres

- Les nombres exprimant une **durée** : âge, nombre d'années, de mois, de jours, d'heures, de minutes, de secondes.
  *La traversée est de sept heures. Il a quinze ans et demi.*

- Les **fractions d'heure** suivant les mots **midi** ou **minuit**.
  *Midi et quart, midi quarante-cinq, minuit et demi.*

  ☞ Si l'heure est notée en chiffres, les fractions d'heure ne peuvent être écrites en lettres.
  *Il viendra à 12 h 45.*

suite ➡

# Nombres suite

- Les expressions numérales des **actes juridiques, notariés**.
  *Pour la somme de vingt-cinq mille dollars (25 000 $).*

☞— Dans les documents à portée juridique, les nombres sont d'abord écrits en toutes lettres, puis notés en chiffres, entre parenthèses. En dehors du contexte juridique, on évitera de recourir à ce procédé.

- Les nombres employés comme **noms**.
  *Miser sur le neuf de cœur, voyager en première, manger les trois quarts d'une tarte, passer un mauvais quart d'heure.*

- Les nombres qui font partie de **noms composés**.
  *Le boulevard des Quatre-Bourgeois, la ville de Trois-Rivières, un deux-mâts, un deux-points.*

## Les nombres en toutes lettres

| | | | | | |
|---|---|---|---|---|---|
| un | 1 | vingt-neuf | 29 | quatre-vingt-un | 81 |
| deux | 2 | trente | 30 | quatre-vingt-deux | 82 |
| trois | 3 | trente et un | 31 | ... | ... |
| quatre | 4 | trente-deux | 32 | quatre-vingt-dix | 90 |
| cinq | 5 | ... | ... | quatre-vingt-onze | 91 |
| six | 6 | quarante | 40 | ... | ... |
| sept | 7 | quarante et un | 41 | quatre-vingt-dix-sept | 97 |
| huit | 8 | quarante-deux | 42 | quatre-vingt-dix-huit | 98 |
| neuf | 9 | ... | ... | quatre-vingt-dix-neuf | 99 |
| dix | 10 | cinquante | 50 | cent | 100 |
| onze | 11 | cinquante et un | 51 | cent un | 101 |
| douze | 12 | cinquante-deux | 52 | cent deux | 102 |
| treize | 13 | ... | ... | ... | ... |
| quatorze | 14 | soixante | 60 | cent vingt | 120 |
| quinze | 15 | soixante et un | 61 | ... | ... |
| seize | 16 | soixante-deux | 62 | deux cents | 200 |
| dix-sept | 17 | ... | ... | deux cent un | 201 |
| dix-huit | 18 | soixante-dix | 70 | ... | ... |
| dix-neuf | 19 | soixante et onze | 71 | neuf cent quatre-vingt-dix-neuf | 999 |
| vingt | 20 | soixante-douze | 72 | mille | 1 000 |
| vingt et un | 21 | soixante-treize | 73 | mille un | 1 001 |
| vingt-deux | 22 | soixante-quatorze | 74 | ... | ... |
| vingt-trois | 23 | soixante-quinze | 75 | dix mille | 10 000 |
| vingt-quatre | 24 | soixante-seize | 76 | dix mille un | 10 001 |
| vingt-cinq | 25 | soixante-dix-sept | 77 | ... | ... |
| vingt-six | 26 | soixante-dix-huit | 78 | cent mille | 100 000 |
| vingt-sept | 27 | soixante-dix-neuf | 79 | deux millions | 2 000 000 |
| vingt-huit | 28 | quatre-vingts | 80 | trois milliards | 3 000 000 000 |

## Les fractions

Une fraction est composée d'un numérateur et d'un dénominateur. Le numérateur est un adjectif numéral cardinal qui suit la règle d'accord de ces adjectifs, tandis que le dénominateur est un nom qui prend la marque du pluriel.

*Nous avons terminé les quatre cinquièmes de ce travail.*
*Dans la fraction **huit trente-cinquièmes (8/35)**, le **numérateur** est 8, le **dénominateur**, 35.*

On ne met pas de trait d'union entre le numérateur et le dénominateur, par contre le numérateur ou le dénominateur s'écrivent avec un trait d'union, s'il y a lieu.

*Vingt-huit millièmes (28/1000)*
*Trente cinquante-septièmes (30/57)*

suite ➞

# Nombres suite

## ÉCRITURE DES GRANDS NOMBRES

| Chiffres | Lettres | Notation scientifique | Exemples |
|---|---|---|---|
| 1 000 | mille | $10^3$ | Cette maison vaut trois cent cinquante mille dollars. |
| 1 000 000 | un million | $10^6$ | L'immeuble est évalué à trois millions de dollars. |
| 1 000 000 000 | un milliard | $10^9$ | Ce gouvernement dépense près de trois milliards de dollars par année. |
| 1 000 000 000 000 | un billion | $10^{12}$ | Une année-lumière représente une distance d'environ dix billions de kilomètres. |
| 1 000 000 000 000 000 000 | un trillion | $10^{18}$ | Le volume du soleil est d'environ un trillion et demi de kilomètres cubes. |
| 1 000 000 000 000 000 000 000 000 | un quatrillion ou un quadrillion | $10^{24}$ | Le Sahara compte sûrement plusieurs quatrillions ou quadrillions de grains de sable. |
| 1 000 000 000 000 000 000 000 000 000 000 | un quintillion | $10^{30}$ | Un quintillion de particules. |

**Représentation chiffrée de quatre quintillions**

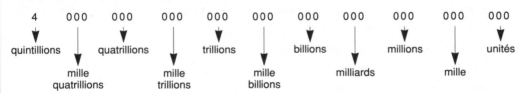

4   000   000   000   000   000   000   000   000   000   000

quintillions — quatrillions — trillions — billions — millions — unités

mille quatrillions — mille trillions — mille billions — milliards — mille

☞ Ne pas confondre le nom français **billion** qui représente un million de millions ou un millier de milliards ($10^{12}$) avec le nom américain «billion» employé aux États-Unis ainsi qu'au Canada anglais et dont l'équivalent français est **milliard** ($10^9$) ni le nom français **trillion** qui représente un billion de millions ($10^{18}$) avec le nom américain «trillion» qui égale un billion de mille ($10^{12}$).

| Système international | | Système américain | |
|---|---|---|---|
| données de base : **million** $10^6$ | | données de base : **mille** $10^3$ | |
| un million | un **million** $10^6$ | un million | mille **mille** $10^6$ |
| un milliard | mille **millions** $10^9$ | un billion | un million de **mille** $10^9$ |
| un billion | un million de **millions** $10^{12}$ | un trillion | un billion de **mille** $10^{12}$ |
| un trillion | un billion de **millions** $10^{18}$ | un quatrillion | un trillion de **mille** $10^{15}$ |
| un quatrillion | un trillion de **millions** $10^{24}$ | | |

☞ Les noms français **milliard, billion, trillion, quatrillion...** du Système international sont des multiples de **million** ($10^6$) tandis que les noms «million», «billion», «trillions», «quatrillions»... du système américain sont des multiples de **mille** ($10^3$).

V. Tableau – **MULTIPLES ET SOUS-MULTIPLES DÉCIMAUX.**
V. Tableau – **SYMBOLES DES UNITÉS DE MESURE.**
V. Tableau – **SYMBOLES DES UNITÉS MONÉTAIRES.**

# Noms composés

## MODE DE FORMATION

- Association de plusieurs mots. *Taille-crayon, va-et-vient, cheval de mer.*
- Juxtaposition de mots simples et de préfixes. *Antibruit, micro-ordinateur.*

## LEXICALISATION

Nouvelle unité du lexique, le nom composé est un mot autonome qui a un sens distinct de ceux de ses composants. La ***motoneige*** évoque une réalité distincte des réalités de ***moto*** et de ***neige.***

## GRAPHIE

- Sans trait d'union. *Robe de chambre, chemin de fer.*
- Avec un ou des traits d'union. *Savoir-faire, micro-ordinateur, arc-en-ciel.*
- En un seul mot. *Paratonnerre, bonheur, madame, motoneige.*

## ÉLÉMENTS COMPOSANTS

- **Nom + nom**
  - apposition. *Aide-comptable, description type, expérience pilote.*
  - complément déterminatif. *Chef-d'œuvre, hôtel de ville, maître d'école.*
- **Adjectif + nom, nom + adjectif.** *Premier ministre, haut-fond, amour-propre, château fort, procès-verbal.*
- **Adverbe + nom.** *Avant-garde, haut-parleur, arrière-pensée, sous-sol.*
- **Nom + verbe.** *Album à colorier, ruban à mesurer, bouleverser.*
- **Nom + préposition + nom.** *Arc-en-ciel, pomme de terre.*
- **Préposition + nom.** *En-tête, pourboire.*
- **Verbe + nom.** *Passeport, taille-crayon, tire-bouchon, compte-gouttes, aide-mémoire.*
- **Verbe + verbe.** *Savoir-vivre, laissez-passer, va-et-vient.*
- **Proposition.** *Un je-ne-sais-quoi, le qu'en-dira-t-on.*

## LE PLURIEL DES NOMS COMPOSÉS

- Noms composés **écrits en un seul mot.** Ils prennent la marque du pluriel comme les mots simples.
  *Des paratonnerres, des passeports.*

☞ Font exception les noms ***bonhomme, madame, mademoiselle, monsieur, gentilhomme*** qui font au pluriel ***bonshommes, mesdames, mesdemoiselles, messieurs, gentilshommes.***

- Noms composés **de noms en apposition.** Ils prennent généralement la marque du pluriel aux deux éléments.
  *Des aides-comptables, des descriptions types, des expériences pilotes.*

- Noms composés **d'un nom et d'un complément du nom.** Le premier nom seulement prend la marque du pluriel.
  *Des chefs-d'œuvre, des hôtels de ville, des maîtres d'école.*

suite ➞

# Noms composés suite

- Noms composés **d'un nom et d'un adjectif.** Ils prennent tous deux la marque du pluriel.
  *Des premiers ministres, des hauts-fonds, des amours-propres, des châteaux forts, des procès-verbaux.*

- Noms composés **d'un nom et d'un mot invariable.** Le nom seulement prend la marque du pluriel.
  *Des en-têtes, des arrière-pensées, des avant-gardes.*

- Noms composés **d'un verbe et de son complément.** Le verbe reste invariable et le nom complément conserve généralement la même forme qu'au singulier.
  *Des aide-mémoire, un compte-gouttes, des compte-gouttes.*

☞ Cependant, certains noms composés ont un nom complément qui prend la marque du pluriel. ***Des tire-bouchons, des taille-crayon(s)***. Il est difficile de dégager une règle; retenons que le nom peut prendre la marque du pluriel, selon le sens.

- Noms composés avec le mot **garde-**

  – S'il est un nom, le mot ***garde-*** prend la marque du pluriel. *Des gardes-pêche, des gardes-chasse(s).*
  – S'il est un verbe, le mot ***garde-*** reste invariable. *Des garde-boue, des garde-fous.*

- Noms composés **de deux verbes, de propositions.** Ces noms sont invariables.
  *Des savoir-faire, des laissez-passer, des va-et-vient, des je-ne-sais-quoi, des qu'en-dira-t-on.*

. . . . . . . . . . . . . . . . . . . . . . . . . . . . . . . . . . . . . . . . . . . . . . . . .

Quelques noms composés et leur pluriel :

| | |
|---|---|
| un accord-cadre | des accords-cadres |
| une bande-son | des bandes-son |
| un bec-de-cane | des becs-de-cane |
| un casse-cou | des casse-cou |
| un coupe-papier | des coupe-papier |
| une demi-heure | des demi-heures |
| un faux-filet | des faux-filets |
| un garde-à-vous | des garde-à-vous |
| un haut-parleur | des haut-parleurs |
| un lance-flammes | des lance-flammes |
| un non-fumeur | des non-fumeurs |
| un roman-photo | des romans-photos |
| un taille-ongles | des taille-ongles |

. . . . . . . . . . . . . . . . . . . . . . . . . . . . . . . . . . . . . . . . . . . . . . . . .

# Adjectif **numéral**

L'adjectif numéral est un déterminant qui indique le nombre précis des êtres ou des choses ou qui précise l'ordre des êtres, des objets dont on parle.

• L'**adjectif numéral cardinal** détermine les êtres ou les choses par leur **NOMBRE**.

Ces adjectifs sont invariables à l'exception de :

– **un** qui peut se mettre au féminin.

*Vingt et une écolières.*

V. Tableau – **UN**.

– **vingt** et **cent** qui prennent la marque du pluriel s'ils sont multipliés par un nombre et s'ils ne sont pas suivis d'un autre adjectif numéral.

*Six cents crayons, trois cent vingt règles, quatre-vingts feuilles, quatre-vingt-huit stylos.*

☞ Dans les adjectifs numéraux composés, le trait d'union s'emploie seulement entre les éléments qui sont l'un et l'autre inférieurs à cent et quand ces éléments ne sont pas joints par la conjonction **et**. *Trente-huit, quatre-vingt-quatre, vingt et un, cent dix, deux cent trente-deux.*

V. Tableau – **NOMBRES**.

• L'**adjectif numéral ordinal** détermine les êtres ou les choses par leur **ORDRE**.

Ces adjectifs qui prennent le genre et le nombre du nom qu'ils déterminent sont formés du nombre cardinal auquel on ajoute la terminaison **ième** (à l'exception de **premier** et de **dernier**).

*Les premières (1$^{res}$) pages, les cinquièmes (5$^{es}$) places.*

**Abréviations courantes :**

Premier **1$^{er}$**, première **1$^{re}$**, deuxième **2$^{e}$**, troisième **3$^{e}$**, quatrième **4$^{e}$** et ainsi de suite **100$^{e}$, 500$^{e}$, 1000$^{e}$**. Philippe **I$^{er}$**, **1$^{re}$** année, **6$^{e}$** étage.

☞ Les autres manières d'abréger ne doivent pas être retenues (*1ère, *2ème, *2ième, *2è...).

V. Tableau – **ADJECTIF**.

· · · · · · · · · · · · · · · · · · · · · · · · · · · · · · · · · · · · · · · · ·

**L'adjectif numéral et les fractions**

Une fraction est composée d'un numérateur et d'un dénominateur. Le numérateur est un adjectif numéral cardinal qui suit la règle d'accord de ces adjectifs, tandis que le dénominateur est un nom qui prend la marque du pluriel.

*Les quatre cinquièmes (4/5).*
*Les vingt-huit millièmes (28/1000).*
*Les trente cinquante-septièmes (30/57).*

· · · · · · · · · · · · · · · · · · · · · · · · · · · · · · · · · · · · · · · · ·

# On

Pronom indéfini de la troisième personne du singulier, le pronom **on** peut remplacer, dans la langue familière ou orale, les pronoms personnels *je, tu, il, elle, nous, vous, ils, elles*.

Le pronom **on** agit toujours comme *sujet du verbe* et l'accord de l'adjectif ou du participe passé se fait généralement au masculin singulier, à moins que le pronom ne représente un sujet féminin ou pluriel. Cependant le verbe demeure toujours au singulier. *On est élu par l'ensemble des membres. On est bien conciliante aujourd'hui. On est tous égaux.*

## EMPLOIS

- D'une façon indéfinie au sens de *tout le monde, n'importe qui.*

    *On a sonné?*

- Dans les proverbes au sens de *chacun.*

    *On n'est jamais si bien servi que par soi-même.*

- Dans la langue familière, en remplacement de :

    – *je*. Par modestie, l'auteur substitue le pronom indéfini, moins prétentieux que le *nous*, au *je*. *On a longuement étudié la question.*

    – *tu*, *vous*. *Alors, on a fait l'école buissonnière?*

    – *il, elle, ils, elles*. *Est-ce qu'on a été gentil avec toi, au moins?*

    – *nous*. *Hier, on est allé se promener, ou on est allés se promener.*

    ☞ L'adjectif, l'attribut ou le participe se met au genre et au nombre du sujet remplacé par **on**. Cet emploi est de niveau familier; dans un style plus soigné, on emploie le pronom *nous*.

- Pour désigner l'auteur inconnu ou anonyme d'un renseignement.

    *On m'a dit que les employés étaient mécontents. Des on-dit, le qu'en-dira-t-on.*

☞ 1° Quand il y a plusieurs verbes coordonnés, le pronom doit être répété. *On lave les légumes, on les coupe, on les fait revenir dans du beurre.*

2° L'adjectif possessif et le pronom personnel renvoyant au sujet **on** sont généralement de la troisième personne. *On a toujours besoin d'un plus petit que soi.*
Cependant, si le pronom indéfini est employé pour un pronom de la première ou de la deuxième personne, les adjectifs possessifs ou les pronoms personnels pourront être de la première ou de la deuxième personne. *On se sent chez nous.*

3° Pour des raisons d'euphonie, surtout après les mots *et, ou, où, que, à qui, à quoi, si,* le pronom **on** est précédé de l'article élidé *l'*. *Si l'on examinait cette question.* En tête de phrase, l'emploi de l'article est archaïque. *L'on m'a dit que...*

4° Quand la phrase est négative, l'adverbe de négation *ne*, *n'* ne peut pas être omis. *On n'arrive pas à l'attacher.*

# Où, adverbe

• L'adverbe marque le lieu ou le temps, la provenance, la cause et ne s'emploie que pour des choses. *Nous irons où il fait plus chaud.*

☞ Construit sans antécédent, le mot *où* est un adverbe.

• *Où que*, locution conjonctive de concession. En quelque lieu que. *D'où que vous m'appeliez, nous pourrons agir. Où que vous soyez, je vous rejoindrai.*

**ADVERBE INTERROGATIF**

• Il s'emploie en début de proposition pour interroger sur le lieu où l'on est, où l'on va. *Où êtes-vous? Je me demande où elle part?*

• Locutions
    – *D'où*. De quel lieu. *D'où m'appelez-vous?*
    – *Par où*. Par quel lieu. *Par où passerez-vous?*

V. Tableau – **OU,** CONJONCTION.
V. Tableau – **OÙ,** PRONOM RELATIF.

# Où, pronom relatif

Quand il est précédé d'un antécédent, *où* est un pronom relatif employé avec les êtres inanimés au sens de ***lequel, laquelle***.

• Il marque le **lieu** où l'on est, où l'on va. Dans lequel. *Le pays où il passe ses vacances.*

• Il marque le **temps d'un évènement**. Pendant lequel. *L'époque où l'on avait le temps de vivre.*

V. Tableau – **OÙ,** ADVERBE.
V. Tableau – **OU,** CONJONCTION.

· · · · · · · · · · · · · · · · · · · · · · · · · · · · · · · · · · · · · · · · · · · · ·

| | |
|---|---|
| **Où** passeras-tu la soirée? | ADVERBE |
| La ville **où** elle est née. | PRONOM RELATIF |
| Prenez l'avion **ou** le bateau. | CONJONCTION |

· · · · · · · · · · · · · · · · · · · · · · · · · · · · · · · · · · · · · · · · · · · · ·

# **Ou,** conjonction

La conjonction de coordination *ou* lie des mots ou des propositions de même nature. *Porter du vert ou du bleu. Nous irons à la campagne ou nous partirons en voyage.*

### EMPLOIS

La conjonction *ou,* qui peut être remplacée par la locution conjonctive *ou bien* pour la distinguer du pronom relatif ou de l'adverbe *où,* marque :

• **Une alternative.** *Le froid ou la chaleur. Il aimerait poursuivre ses études ou acquérir un peu d'expérience.*

• **Une approximation.** *Vingt-huit ou trente étudiants.*

• **Une opposition entre deux membres de phrase.** *Ou vous acceptez, ou vous cédez votre place.*

☞ Dans une proposition négative, la conjonction *ou* est remplacée par *ni. Elle ne lui a pas parlé ni écrit.*

### ACCORD DU VERBE

• **Deux sujets au singulier.** Le verbe se met au pluriel ou au singulier suivant l'intention de l'auteur qui désire marquer la coordination ou la disjonction. *L'un et l'autre se dit ou se disent.*

☞ Si la conjonction est précédée d'une virgule, le verbe se met au singulier, car la phrase exprime une disjonction. *La complexité du problème, ou le découragement, lui fit abandonner la recherche.*

• **Un sujet au singulier + un sujet au pluriel.** Le verbe se met au pluriel. *Un chien ou des chats s'ajouteront à la famille.*

• **Un sujet au singulier + un synonyme.** Le verbe se met au singulier. *L'outarde ou bernache du Canada est une oie sauvage qui vit dans l'extrême Nord.*

☞ Le synonyme s'emploie sans article.

### ACCORD DE L'ADJECTIF

• L'adjectif qui se rapporte à deux noms coordonnés par *ou* se met au pluriel et au masculin si les noms sont de genres différents. *Du coton ou de la toile bleus.*

• L'adjectif qui se rapporte à un seul des deux noms coordonnés par *ou* s'accorde en genre et en nombre avec ce nom. *Il achètera un gigot ou des viandes marinées.*

☞ **Et/ou :** à l'exception de contextes très particuliers, de nature technique ou scientifique, où il apparaît nécessaire de marquer consécutivement la coordination ou la disjonction de façon très succincte et explicite, l'emploi de la locution *et/ou* est inutile, la conjonction *ou* exprimant parfaitement ces nuances. À cet égard, l'accord du verbe avec des sujets coordonnés par *ou* est significatif, le pluriel marquant la coordination, le singulier, la disjonction.

Ainsi, dans l'énoncé **Marie ou Benoît sont admissibles**, ils sont l'un et l'autre admissibles. Si l'on juge que l'énoncé n'est pas suffisamment explicite, on pourra recourir à une autre construction. *Les étudiants peuvent choisir les civilisations grecque ou latine ou les deux à la fois.*

V. Tableau – **OÙ,** ADVERBE.
V. Tableau – **OÙ,** PRONOM RELATIF.

# Parenthèses

**La parenthèse** est une courte phrase, une digression insérée dans une phrase. *La directrice (nommée tout récemment) est très compétente.*

☞ La phrase intercalée n'est pas nécessairement entre parenthèses.

**Les parenthèses** sont le double signe de ponctuation ( ) qui signale une insertion dans une phrase. *Mettre un exemple entre parenthèses. Ouvrir, fermer une parenthèse.*

① ☞ 1° Dans un passage déjà entre parenthèses, on emploie des crochets.

2° Dans un index alphabétique, une liste, les parenthèses indiquent une inversion destinée à faciliter le classement d'un mot, d'une expression. Ainsi, *géographiques (noms)* doit se lire *noms géographiques.*

3° Les parenthèses signifient également une possibilité de double lecture. *Exemple : antichoc(s).* L'adjectif peut s'écrire **antichoc** ou **antichocs**.

**EMPLOIS**

**Citation**
*Je vous entends demain parler de liberté.* (Gilles Vigneault)

**Date**
*L'Exposition universelle de Montréal (1967) a été un énorme succès.*

**Donnée**
*Ce disque rigide (20 méga-octets) est très fiable.*

**Exemple**
*Les ongulés (ex. : éléphant, rhinocéros) sont des mammifères.*

**Explication**
*L'ornithorynque (mammifère monotrème) est ovipare.*

**Formule**
*L'eau est un composé d'oxygène et d'hydrogène ($H_2O$).*

**Mention**
*Louis XIV (le Roi Soleil).*

**Renvoi**
*Le symbole du dollar est un S barré (V. Tableau  – **SYMBOLES DES UNITÉS MONÉTAIRES**).*

**Sigle, abréviation**
*L'Office de la langue française (OLF).*

. . . . . . . . . . . . . . . . . . . . . . . . . ① . . . . . . . . . . . . . . . . . . . . . . . . .

Le crochet est un signe de ponctuation de même nature que les parenthèses qui sert à intercaler des indications dans une phrase :

- pour insérer une indication à l'intérieur d'une phrase déjà entre parenthèses;
- pour ajouter des mots rétablis en fonction du contexte.

V. Tableau – **PONCTUATION.**

. . . . . . . . . . . . . . . . . . . . . . . . . . . . . . . . . . . . . . . . . . . . . . . . . . .

# Paronymes

Les paronymes sont des mots qui présentent une ressemblance d'orthographe ou de prononciation sans avoir la même signification.

Ainsi les noms **acception** qui signifie «sens d'un mot» et **acceptation** qui signifie «accord» sont-ils souvent confondus. Il en est de même des mots **conjecture** au sens de «hypothèse» et **conjoncture,** «situation d'ensemble».

☞ Ne pas confondre avec les noms suivants :

– **antonymes,** mots qui ont une signification contraire :
  devant, derrière;

– **homonymes,** mots qui s'écrivent ou se prononcent de façon identique sans avoir la même signification :
  air (mélange gazeux)
  air (mélodie)
  air (expression)
  aire (surface)
  ère (époque)
  hère (malheureux)
  hère (jeune cerf);

– **synonymes,** mots qui ont la même signification ou une signification très voisine :
  gravement, grièvement.

### QUELQUES EXEMPLES DE PARONYMES

| | | | | | |
|---|---|---|---|---|---|
| accident | et | incident | idiotisme | et | idiotie |
| affectif | et | effectif | intégralité | et | intégrité |
| agoniser | et | agonir | justesse | et | justice |
| allocation | et | allocution | lacune | et | lagune |
| amener | et | emmener | littéraire | et | littéral |
| amnésie | et | amnistie | luxuriant | et | luxurieux |
| arborer | et | abhorrer | nationaliser | et | naturaliser |
| collision | et | collusion | notable | et | notoire |
| compréhensif | et | compréhensible | original | et | originaire |
| confirmer | et | infirmer | perpétrer | et | perpétuer |
| décade | et | décennie | prodige | et | prodigue |
| désaffection | et | désaffectation | proscrire | et | prescrire |
| effiler | et | affiler | recouvrer | et | recouvrir |
| effraction | et | infraction | session | et | cession |
| éminent | et | imminent | stalactite | et | stalagmite |
| enduire | et | induire | usité | et | usagé |
| évoquer | et | invoquer | vénéneux | et | venimeux |

V. Tableau – **ANTONYMES.**
V. Tableau – **HOMONYMES.**
V. Tableau – **SYNONYMES.**

# Participe passé

**ACCORD DU PARTICIPE PASSÉ**

### 1. Participe passé employé seul

Employé sans auxiliaire, le participe passé s'accorde en genre et en nombre **avec le nom auquel il se rapporte.**

– Il peut jouer le rôle d'un qualificatif. *Affamés, ils se servirent copieusement de ce plat tant attendu.*

– Il peut être attribut. *Elle me semble émue.*

### 2. Participe passé employé avec l'auxiliaire *être*

Comme attribut, le participe passé s'accorde en genre et en nombre avec le nom auquel il se rapporte, c'est-à-dire **avec le sujet du verbe.**

*La maison a été aménagée.*

### 3. Participe passé employé avec l'auxiliaire *avoir*

– Avec l'auxiliaire *avoir,* le participe passé s'accorde en genre et en nombre **avec le complément d'objet direct (c.o.d.) s'il précède le verbe.**

☞ Pour trouver le complément d'objet direct, on pose la question *qui?* ou *quoi?* après le verbe.

*La pomme que j'ai mangée.*

> *J'ai mangé* **quoi? Que**, mis pour **pomme.**
> Le complément d'objet direct précède le verbe : accord du participe passé.

– Si le complément d'objet direct **suit** le verbe ou **s'il n'y en a pas**, le participe passé reste invariable.

*J'ai mangé une pomme.*

> Le complément d'objet direct suit le verbe : participe passé invariable.

*Les recherches ont enfin abouti.*

> Il n'y a pas de complément d'objet direct : participe passé invariable.

CAS PARTICULIERS

### 3.1 Participe passé employé avec l'auxiliaire *avoir* et suivi d'un infinitif

– Le participe passé suivi de l'infinitif s'accorde en genre et en nombre avec le complément d'objet direct qui précède le verbe si celui-ci accomplit l'action marquée par l'infinitif.

*Les oiseaux que j'ai entendus chanter.*

> J'ai entendu **qui? Que**, mis pour **oiseaux.**
> Ce sont eux qui font l'action de chanter et le complément d'objet direct précède le verbe : accord du participe passé.

*La chanson que j'ai entendu chanter.*

> J'ai entendu **quoi? Que**, mis pour **chanson.**
> Ce n'est pas la chanson qui fait l'action de chanter : participe passé invariable.

suite ➔

# Participe passé suite

☞ Le participe passé employé avec l'auxiliaire *avoir* et suivi d'un infinitif sous-entendu reste invariable, par exemple avec les participes passés *cru, dû, pu, su, voulu*...

*Olivier a choisi tous les livres qu'il a voulu (**choisir** est sous-entendu).*

> Olivier a voulu *quoi? Choisir.*
> Le complément d'objet direct est un infinitif sous-entendu : participe passé invariable.

☞ Le participe passé *fait* suivi d'un infinitif est toujours invariable. *Les travaux que nous avons fait exécuter sont coûteux.*

## 3.2 Participe passé des verbes impersonnels

Le participe passé des verbes impersonnels est toujours invariable.

*Les explosions qu'il y a eu.*

## 3.3 Participe passé précédé d'un collectif accompagné d'un complément au pluriel

Le participe passé s'accorde avec le collectif singulier (*classe, foule, groupe, multitude*...), ou avec le complément au pluriel, suivant l'intention de l'auteur qui veut insister sur l'ensemble ou sur la pluralité.

*La multitude des touristes que j'ai vue ou vus.*

V. Tableau – **COLLECTIF**.

## 3.4 Participe passé se rapportant aux pronoms *en* ou *le*

Le participe passé qui a pour complément d'objet direct le pronom *en* ou le pronom neutre *le* reste invariable.

*J'ai cueilli des framboises et j'en ai mangé.*

☞ Si le pronom *en* est précédé d'un adverbe de quantité (*autant, beaucoup, combien, moins, plus...*), le participe passé peut s'accorder en genre et en nombre avec le nom qui précède ou rester invariable. *Des limonades, combien j'en ai bues.*

## 3.5 Participe passé des verbes pronominaux

V. Tableau – **PRONOMINAUX**.

---

..................... ① .....................

On qualifie d'auxiliaire un verbe utilisé pour la conjugaison des autres verbes dans la formation des temps composés, avec un infinitif ou un participe présent. Les auxiliaires sont *avoir* et *être*.

*J'ai aimé. Tu es venu.*

.................................................

# Participice présent

Le participe présent exprime une action simultanée par rapport à l'action du verbe qu'il accompagne.

*Le jardin entourant la villa est rempli de bosquets fleuris.*

☞ Le participe présent se termine toujours par ***ant***. Quand il s'agit d'un verbe du deuxième groupe, sa terminaison est ***issant***.

Le participe présent est invariable. Il peut avoir un complément d'objet direct ou un complément circonstanciel. Il pourrait être remplacé dans la phrase par une proposition subordonnée.

*Elle vit des oiseaux volant (qui volaient) très haut.*

Précédé de la préposition ***en***, le participe présent exprime un complément circonstanciel : il est appelé ***gérondif*** et demeure toujours invariable.

*Ils se promènent dans la forêt en sifflant.*

☞ Le participe présent était variable autrefois; en 1679, l'Académie décréta qu'il serait dorénavant invariable. Seules quelques expressions appartenant à la langue juridique ont conservé des formes qui prennent la marque du pluriel. *Des ayants droit, des ayants cause, toutes affaires cessantes, la partie plaignante...*

☞ Il importe de ne pas confondre le **participe présent**, toujours invariable, avec l'**adjectif verbal** qui joue le rôle de qualificatif ou d'attribut, qui exprime donc une manière d'être et qui s'accorde en genre et en nombre avec le nom ou le pronom auquel il se rapporte. *Des livres passionnants, des personnes influentes. Celles-ci étaient convaincantes.*

(1) De nombreux adjectifs verbaux ont des orthographes différentes de celles du participe présent.

**Exemples de différences orthographiques**

| PARTICIPE PRÉSENT | ADJECTIF VERBAL |
|---|---|
| adhérant | adhérent |
| communiquant | communicant |
| convainquant | convaincant |
| déférant | déférent |
| différant | différent |
| équivalant | équivalent |
| excédant | excédent |
| excellant | excellent |
| fatiguant | fatigant |
| influant | influent |
| intriguant | intrigant |
| négligeant | négligent |
| précédant | précédent |
| somnolant | somnolent |
| suffoquant | suffocant |
| vaquant | vacant |

······················· (1) ·······················

| ADJECTIF VERBAL | PARTICIPE PRÉSENT |
|---|---|
| Des procédés **intrigants**. | Les employés **intriguant** pour être promus sont souvent déçus. |
| Une chaleur **suffocante**. | **Suffoquant** dans la classe enfumée, les étudiants sortirent. |

# Temps du **passé**

• Le **PASSÉ SIMPLE** exprime :

– un fait passé qui s'est produit en un temps déterminé et qui est complètement achevé.
*C'est à l'automne qu'il vint nous rendre visite.*

☞ Le passé simple ne comporte pas d'idée de continuité, il exprime un fait passé à un moment précis. Le passé simple décrit des actions coupées du présent, alors que le passé composé marque une durée qui dure encore. Il convient particulièrement à la description dans le passé, au récit historique. Dans la langue parlée, le passé simple est peu employé et relève plutôt de la langue littéraire en raison de ses désinences trop difficiles. Oralement, et même par écrit, ce temps est remplacé plutôt par le passé composé ou par l'imparfait.

• Le **PASSÉ COMPOSÉ** (ou **passé indéfini**) exprime :

– un fait passé à un moment déterminé qui demeure en contact avec le présent.
*La Révolution tranquille a favorisé le nationalisme québécois.*

☞ À la différence du passé simple, le passé composé marque une durée qui dure encore, un fait passé dont les conséquences sont actuelles.

– une vérité générale, un fait d'expérience.
*Qui a bu boira.*

– un fait passé dont les conséquences sont actuelles.
*Il n'a pas eu le temps de déjeuner aujourd'hui.*

– un fait non encore accompli, mais sur le point de l'être.
*Je suis à vous dans quelques minutes, j'ai terminé.*

– un futur antérieur avec **si**.
*Si tu n'as pas terminé tes devoirs, nous n'irons pas au cinéma.*

☞ Le passé composé de la plupart des verbes est formé à partir du présent de l'indicatif de l'auxiliaire **avoir** auquel est ajouté le participe passé du verbe conjugué. *Sophie a joué. Antoine a couru.* Cependant certains verbes intransitifs ou pronominaux se conjuguent avec l'auxiliaire **être**. *Elle est née le 31 juillet 1976. Vincent s'est toujours souvenu d'elle.*

• Le **PASSÉ ANTÉRIEUR** exprime :

– un fait ponctuel qui a précédé un fait passé (il a eu lieu avant cette action passée).
*Dès qu'il eut remis son rapport, il se sentit en vacances.*

☞ Peu utilisé, le passé antérieur s'emploie surtout dans une proposition subordonnée temporelle après une conjonction ou une locution conjonctive, **lorsque, dès que, aussitôt que, quand, après que**..., où il accompagne un verbe principal au passé simple.

☞ Le passé antérieur est formé à partir du passé simple des auxiliaires **avoir** ou **être** auquel est ajouté le participe passé du verbe conjugué.

# Périodicité et durée

1. Certains adjectifs composés avec les préfixes **bi-, tri-, quatri-** et d'autres préfixes propres à chaque chiffre expriment la **PÉRIODICITÉ**.

**• Une fois...**

| | | |
|---|---|---|
| une fois par jour | quotidien | *Un appel quotidien.* |
| une fois par semaine | hebdomadaire | *Une revue hebdomadaire.* |
| une fois par mois | mensuel | *Un concours mensuel.* |
| une fois tous les six mois | semestriel | *Des examens semestriels.* |
| une fois par année | annuel | *Une exposition annuelle.* |
| une fois tous les deux mois | bimestriel | *Des exercices bimestriels.* |
| une fois tous les deux ans | bisannuel, biennal | *Un évènement bisannuel ou biennal.* |
| une fois tous les trois mois | trimestriel | *Des bulletins trimestriels.* |
| une fois tous les trois ans | trisannuel, triennal | *Des retrouvailles trisannuelles ou triennales.* |

**• Deux fois par...**

| | | |
|---|---|---|
| deux fois par jour | biquotidien | *Un vol biquotidien.* |
| deux fois par semaine | bihebdomadaire | *Des livraisons bihebdomadaires.* |
| deux fois par mois | bimensuel | *Un examen bimensuel.* |

☞ On emploie l'adjectif **semestriel** pour exprimer la périodicité de deux fois par année, «une fois tous les six mois».

**• Trois fois par...**

| | | |
|---|---|---|
| trois fois par semaine | trihebdomadaire | *Des cours trihebdomadaires.* |
| trois fois par mois | trimensuel | *Des visites trimensuelles.* |

2. Certains adjectifs expriment la **PÉRIODICITÉ** ou la **DURÉE**.

| | | | |
|---|---|---|---|
| *annuel* | ce qui a lieu une fois par an | ou | ce qui dure un an |
| *biennal* | ce qui a lieu tous les deux ans | ou | ce qui dure deux ans |
| *triennal* | ce qui a lieu tous les trois ans | ou | ce qui dure trois ans |
| *quatriennal* | ce qui a lieu tous les quatre ans | ou | ce qui dure quatre ans |
| *quinquennal* | ce qui a lieu tous les cinq ans | ou | ce qui dure cinq ans |
| *sexennal* | ce qui a lieu tous les six ans | ou | ce qui dure six ans |
| *septennal* | ce qui a lieu tous les sept ans | ou | ce qui dure sept ans |
| *octennal* | ce qui a lieu tous les huit ans | ou | ce qui dure huit ans |
| *novennal* | ce qui a lieu tous les neuf ans | ou | ce qui dure neuf ans |
| *décennal* | ce qui a lieu tous les dix ans | ou | ce qui dure dix ans |

# Écriture des noms de **peuples**

**RÈGLES TYPOGRAPHIQUES**

• Les **noms** de peuples, de races, d'habitants de régions, de villes sont des noms propres qui s'écrivent avec une **MAJUSCULE**.

*Les Québécois, les Canadiens, les Américains, les Chinois, les Européens.*
*Les Noirs, les Blancs.*
*Les Beaucerons, les Bretons.*
*Les Montréalais, les Parisiens.*

☞ La dénomination des habitants d'un lieu (continent, pays, région, ville, village, etc.) est un GENTILÉ.

☞ Les noms de peuples composés et reliés par un trait d'union prennent la majuscule aux deux éléments. *Un Néo-Zélandais, un Sud-Africain, un Nord-Américain.*

☞ Les mots auxquels le préfixe *néo-* est joint s'écrivent avec un trait d'union. *Un Néo-Écossais.* S'il s'agit d'un gentilé, le mot s'écrit avec deux majuscules; si le préfixe signifie «de souche récente», le préfixe s'écrit avec une minuscule. *Un néo-Québécois.*

• Les **adjectifs** de peuples, de races, de langues s'écrivent avec une **MINUSCULE**.

*Le drapeau québécois, la langue française, les peintres italiens, la race blanche, le sens de l'humour anglais.*

☞ Les noms de peuples composés qui comportent un adjectif s'écrivent avec une majuscule au nom et une minuscule à l'adjectif. *Les Canadiens anglais, les Basques espagnols.*

• Les **noms de langues** s'écrivent avec une **MINUSCULE**.

*Apprendre le russe, le français, le chinois.*

V. Tableau – **PEUPLES** (NOMS DE).

. . . . . . . . . . . . . . . . . . . . . . . . . . . . . . . . . . . . . . . . . . . . . . . . . .

Écriture du mot INUIT.

• **Adjectif.** Relatif aux Inuits. *La culture inuite, des objets inuits.*

• **Nom masculin et féminin.** Membre d'une nation autochtone du Canada qui habite au nord du 55$^e$ parallèle. *Au Québec, il y a près de 6 000 Inuits. Un Inuit, une Inuite.*

☞ L'adjectif s'écrit avec une minuscule; le nom, avec une majuscule.

☞ Ce nom a fait l'objet d'une nouvelle recommandation officielle, le 24 avril 1993, en vue de simplifier la graphie au masculin, au féminin et au pluriel (antérieurement *Inuk* au singulier, *Inuit* au pluriel). L'adjectif est maintenant variable.

. . . . . . . . . . . . . . . . . . . . . . . . . . . . . . . . . . . . . . . . . . . . . . . . . .

# Noms de **peuples**

| PAYS OU ÉTAT | GENTILÉ MASCULIN | GENTILÉ FÉMININ |
| --- | --- | --- |
| Afghanistan | un Afghan | une Afghane |
| Albanie | un Albanais | une Albanaise |
| Algérie | un Algérien | une Algérienne |
| Allemagne | un Allemand | une Allemande |
| Angleterre | un Anglais | une Anglaise |
| Arabie saoudite | un Saoudien | une Saoudienne |
| Argentine | un Argentin | une Argentine |
| Australie | un Australien | une Australienne |
| Autriche | un Autrichien | une Autrichienne |
| Belgique | un Belge | une Belge |
| Birmanie | un Birman | une Birmane |
| Bolivie | un Bolivien | une Bolivienne |
| Brésil | un Brésilien | une Brésilienne |
| Bulgarie | un Bulgare | une Bulgare |
| Cambodge | un Cambodgien | une Cambodgienne |
| Cameroun | un Camerounais | une Camerounaise |
| Canada | un Canadien | une Canadienne |
| Chili | un Chilien | une Chilienne |
| Chine | un Chinois | une Chinoise |
| Chypre | un Cypriote, un Chypriote | une Cypriote, une Chypriote |
| Colombie | un Colombien | une Colombienne |
| Corée | un Coréen | une Coréenne |
| Côte-d'Ivoire | un Ivoirien | une Ivoirienne |
| Cuba | un Cubain | une Cubaine |
| Danemark | un Danois | une Danoise |
| Égypte | un Égyptien | une Égyptienne |
| Espagne | un Espagnol | une Espagnole |
| États-Unis | un Américain | une Américaine |
| Éthiopie | un Éthiopien | une Éthiopienne |
| Finlande | un Finlandais | une Finlandaise |
| France | un Français | une Française |
| Gabon | un Gabonais | une Gabonaise |
| Ghana | un Ghanéen | une Ghanéenne |
| Grèce | un Grec | une Grecque |
| Guadeloupe | un Guadeloupéen | une Guadeloupéenne |
| Guatemala | un Guatémaltèque | une Guatémaltèque |
| Guinée | un Guinéen | une Guinéenne |
| Haïti | un Haïtien | une Haïtienne |
| Hollande | un Hollandais | une Hollandaise |
| Hongrie | un Hongrois | une Hongroise |
| Inde | un Indien | une Indienne |
| Indonésie | un Indonésien | une Indonésienne |
| Iran | un Iranien | une Iranienne |
| Iraq | un Irakien, un Iraquien | une Irakienne, une Iraquienne |
| Irlande | un Irlandais | une Irlandaise |
| Islande | un Islandais | une Islandaise |
| Israël | un Israélien | une Israélienne |
| Italie | un Italien | une Italienne |

suite ➞

# Noms de **peuples** suite

| | | |
|---|---|---|
| Japon | un Japonais | une Japonaise |
| Jordanie | un Jordanien | une Jordanienne |
| Kenya | un Kényan | une Kényane |
| Koweit | un Koweitien | une Koweitienne |
| Liban | un Libanais | une Libanaise |
| Libye | un Libyen | une Libyenne |
| Luxembourg | un Luxembourgeois | une Luxembourgeoise |
| Madagascar | un Malgache | une Malgache |
| Mali | un Malien | une Malienne |
| Maroc | un Marocain | une Marocaine |
| Mexique | un Mexicain | une Mexicaine |
| Népal | un Népalais | une Népalaise |
| Niger | un Nigérien | une Nigérienne |
| Nigeria | un Nigérian | une Nigériane |
| Norvège | un Norvégien | une Norvégienne |
| Nouvelle-Zélande | un Néo-Zélandais | une Néo-Zélandaise |
| Pakistan | un Pakistanais | une Pakistanaise |
| Panama | un Panaméen | une Panaméenne |
| Paraguay | un Paraguayen | une Paraguayenne |
| Pérou | un Péruvien | une Péruvienne |
| Philippines | un Philippin | une Philippine |
| Pologne | un Polonais | une Polonaise |
| Portugal | un Portugais | une Portugaise |
| Québec | un Québécois | une Québécoise |
| Roumanie | un Roumain | une Roumaine |
| Russie | un Russe | une Russe |
| Sénégal | un Sénégalais | une Sénégalaise |
| Somalie | un Somali, un Somalien | une Somalie, une Somalienne |
| Soudan | un Soudanais | une Soudanaise |
| Suède | un Suédois | une Suédoise |
| Suisse | un Suisse | une Suisse |
| Syrie | un Syrien | une Syrienne |
| Tanzanie | un Tanzanien | une Tanzanienne |
| Tchad | un Tchadien | une Tchadienne |
| Tchécoslovaquie | un Tchécoslovaque | une Tchécoslovaque |
| Thaïlande | un Thaïlandais | une Thaïlandaise |
| Togo | un Togolais | une Togolaise |
| Tunisie | un Tunisien | une Tunisienne |
| Turquie | un Turc | une Turque |
| Uruguay | un Uruguayen | une Uruguayenne |
| Venezuela | un Vénézuélien | une Vénézuélienne |
| Vietnam | un Vietnamien | une Vietnamienne |
| Yougoslavie | un Yougoslave | une Yougoslave |
| Zaïre | un Zaïrois | une Zaïroise |
| Zambie | un Zambien | une Zambienne |

# Pluriel des noms

Le nom se met au pluriel quand il désigne plusieurs êtres ou plusieurs objets. *Trois enfants. Cinq maisons.*

☞ En français, la marque du pluriel ne s'inscrit qu'à compter de deux unités. *La somme s'élève à 1,5 million de dollars, à 2,5 milliers de francs.*

**Règles générales**

- Le pluriel des noms se forme en ajoutant un **s** au singulier. *Un arbre, des arbres.*

- Les noms terminés au singulier par **-s, -x, -z** sont invariables. *Un refus, des refus, un prix, des prix, un nez, des nez.*

- Les noms terminés au singulier par **-al** font **aux-** au pluriel. *Un cheval, des chevaux.*

  EXCEPTIONS : ***avals, bals, cals, carnavals, chacals, festivals, navals, pals, récitals, régals.***

☞ Certains noms ont les deux pluriels (**-als** et **-aux**) : *étal, idéal, val...*

- Les noms terminés au singulier par **-eau, -au, -eu** font **-eaux, -aux, -eux** au pluriel. *Une eau, des eaux, un tuyau, des tuyaux, un feu, des feux.*

  EXCEPTIONS : ***landaus, sarraus, bleus, pneus.***

- Les noms terminés au singulier par **-ail** font **ails** au pluriel. *Un détail, des détails.*

  EXCEPTIONS : ***baux, coraux, émaux, soupiraux, travaux, vitraux.***

☞ Les mots ***bercail, bétail*** ne s'emploient pas au pluriel.

- Les noms terminés au singulier par **-ou** font **-ous** au pluriel. *Un fou, des fous.*

  EXCEPTIONS : ***bijoux, cailloux, choux, genoux, hiboux, joujoux, poux.***

☞ Certains mots ont un pluriel double ***aïeul, ciel, œil, travail.***

## PLURIEL DES NOMS COMPOSÉS

V. Tableau – **NOMS COMPOSÉS.**

## PLURIEL DES NOMS PROPRES

- Les noms de peuples, de races, d'habitants de régions, de villes prennent la marque du pluriel. *Les Canadiens, les Noirs, les Beaucerons.*

- Les patronymes sont généralement invariables. *Les Fontaine sont invités.*

☞ Certains noms de familles royales, princières, illustres prennent parfois la marque du pluriel. *Les Bourbons, les Tudors.*

- Les noms propres devenus des noms communs prennent la marque du pluriel. *Des don Juans.*

- Les noms de marques commerciales sont invariables. *Des Peugeot, des Apple.*

☞ Les noms déposés passés dans l'usage sont devenus des noms communs qui prennent la marque du pluriel et s'écrivent avec une minuscule. *Des aspirines, des linoléums, des stencils.*

## PLURIEL DES NOMS D'ORIGINE ÉTRANGÈRE

- Les noms étrangers sont invariables. *Des nota bene, des modus vivendi.*

☞ Certains noms étrangers gardent le pluriel de leur langue d'origine. *Errata, ladies.*

- Les noms d'origine étrangère francisés prennent la marque du pluriel. *Des agendas, des spaghettis.*

# Points cardinaux

**Abréviations** : est     *E.*
                 ouest    *O.*
                 nord     *N.*
                 sud      *S.*

L'écriture des noms de points cardinaux, **nord, sud, est, ouest** et de leurs dérivés **midi, centre, occident, orient**... obéit à deux règles principales.

**MAJUSCULE**

Les points cardinaux s'écrivent avec une majuscule initiale lorsqu'ils servent à désigner spécifiquement un lieu géographique, ethnique, un odonyme.

*Le Nord canadien, l'Amérique du Nord, le pôle Sud, les fleurs du Midi, l'Orient et l'Occident.*

☞ Les points cardinaux prennent une majuscule lorsqu'ils ne sont pas suivis d'un complément déterminatif introduit par la préposition **de**. *Le Nord canadien*, mais *le nord des États-Unis.*

**MINUSCULE**

Les points cardinaux s'écrivent avec une minuscule quand ils sont employés comme noms ou comme adjectifs pour indiquer la direction, l'exposition.

*Le vent du nord, une terrasse exposée au sud, le midi de la France, la rive nord du Saint-Laurent.*

**Noms composés**

Les points cardinaux composés s'écrivent avec un trait d'union.

*Le nord-ouest du Québec.*

**Abréviations**

Les noms de points cardinaux s'abrègent lorsqu'ils font partie de mesures de longitude et de latitude.

*45° de latitude O.*

........................ ① ........................

Certains noms de rue comprennent la mention d'un point cardinal : celui-ci s'écrit avec une majuscule à la suite du nom spécifique de la voie publique.

*555, boul. René-Lévesque Ouest.*

........................................................

**P**

# Ponctuation

**Les signes de ponctuation sont :**

| | | | | | | |
|---|---|---|---|---|---|---|
| . | le point | ! | le point d'exclamation | « » | les guillemets |
| , | la virgule | ... | les points de suspension | [ ] | les crochets |
| ; | le point-virgule | - | le trait d'union | / | la barre oblique |
| : | le deux-points | ( ) | les parenthèses | | |
| ? | le point d'interrogation | – | le tiret | | |

**Fonctions des signes de ponctuation**

• Le **point** termine une phrase.

*Les lilas sont en fleurs.*

• La **virgule** marque une séparation entre les noms et les adjectifs qualificatifs énumérés sans conjonction.

*Vous trouverez ci-joint l'ordre du jour, la lettre originale, la documentation.*

– La virgule sépare aussi les propositions juxtaposées.

*L'avion se pose, freine, s'immobilise.*

– La virgule permet d'isoler un groupe de mots accessoires et sert souvent à séparer le complément circonstanciel du reste de la phrase.

*Nous, les scouts, sommes partis explorer cette forêt.*
*Hier soir, Marthe est arrivée les bras chargés de cadeaux.*

– La virgule sépare également les mots mis en apostrophe et les incises.

*Martin, peux-tu m'aider?*
*Je termine cela, répondit-il, et j'arrive immédiatement.*

• Le **point-virgule** sépare des propositions de même nature qui sont relativement longues; il s'emploie aussi entre chaque élément des énumérations introduites par le deux-points.

*La trousse de secours comprend : un thermomètre;*
*des pansements;*
*un onguent antibiotique.*

• Le **deux-points** introduit une citation, une énumération, un exemple.

*Et il répondit : «Ce fut un plaisir».*

• Le **point d'interrogation** et le **point d'exclamation** se placent à la fin des phrases interrogatives ou exclamatives.

*Comment? Vous êtes là!*

☞ Après une interjection, on met un point d'exclamation. *Ha! Ha!*

• Les **points de suspension** marquent une interruption, une phrase inachevée. Dans une citation tronquée, les points de suspension se mettent entre crochets. Au nombre de trois, ils se confondent avec le point final et ne doivent pas suivre l'abréviation ***etc***.

*Elle a aussitôt prévenu sa voisine et...*

suite ➡

# Ponctuation suite

• Le **trait d'union** réunit les éléments des mots composés, des adjectifs numéraux inférieurs à cent, le verbe et le sujet inversé, la coupure des mots en fin de ligne.

*Rez-de-chaussée, quatre-vingts, plaît-il?*

• Les **parenthèses**, composées de deux signes, servent à intercaler dans une phrase un élément accessoire.

*L'expression **tenir pour acquis** (du verbe acquérir) signifie...*

• Le **tiret** sert à séparer une explication, une remarque, à marquer les éléments d'une énumération.

*Les joueurs d'échecs – les vrais mordus – s'exercent tous les jours.*

– Le tiret indique le changement d'interlocuteur dans un dialogue.

*Le monarque. – «Que voulez-vous insinuer?»*
*Le visiteur. – «Je n'insinue pas, j'affirme!»*

– Le tiret marque également les éléments d'une énumération.

• Les **guillemets** sont de petits chevrons doubles qui se placent au commencement (guillemet ouvrant) et à la fin (guillemet fermant) d'une citation, d'un dialogue, d'un mot, d'une locution que l'auteur désire isoler.

*Tous les matins, il lit «Le Devoir».*

V. Tableau – **GUILLEMETS.**

• Les **crochets** servent à marquer une insertion à l'intérieur d'une parenthèse, la suppression d'un extrait [ ... ], une explication spécifique.

• La **barre oblique** est utilisée dans l'inscription des unités de mesure complexes abrégées, des fractions, des pourcentages, de certaines mentions.

*Une vitesse de 125 km/h, 2/3, 85 %, V/Réf.*

......................... ① .........................

La virgule est aussi un signe décimal qui sépare la partie entière et la partie décimale d'un nombre.

*15,5 kilomètres.*

☞ La virgule décimale s'écrit sans espace; si le nombre est inférieur à l'unité, la virgule décimale est précédée d'un zéro. *0,75.*

.....................................................

**P**

# Adjectif **possessif**

L'adjectif possessif détermine le nom en indiquant le «possesseur» de l'objet désigné.

☞ On observe que l'adjectif possessif est loin de toujours exprimer la possession réelle. En effet, il n'établit souvent qu'une simple relation de chose à personne, qu'un rapport de dépendance, de familiarité, d'affinité, de proximité, etc. *Mon avion, ton hôtel, sa ville, nos invités, vos étudiants, leurs amis.*

- Il s'accorde en genre et en nombre avec le nom déterminé.

  *Ta voiture, son ordinateur, nos livres.*

- Il s'accorde en personne avec le nom désignant le possesseur :

  – un seul possesseur     **mon, ton, son** fils
      **ma, ta, sa** fille
      **mes, tes, ses** fils ou filles ;

  – plusieurs possesseurs     **notre, votre, leur** fils ou fille
      **nos, vos, leurs** fils ou filles.

Devant un nom féminin commençant par une voyelle ou un *h* muet, c'est la forme masculine de l'adjectif qui est employée pour des raisons d'euphonie.

*Mon amie, ton échelle, son histoire.*

V. Tableau – **ADJECTIF**.

# Préfixe

Dans la composition des mots nouveaux, le français emprunte surtout au grec et au latin des préfixes ou des éléments qui sont joints à un radical pour former une nouvelle unité lexicale.

Ces préfixes présentent l'avantage d'être déjà connus et, ainsi, de favoriser la compréhension immédiate du néologisme.

**Quelques exemples :**

| PRÉFIXES | SENS | EXEMPLES |
|---|---|---|
| **anti-** | contre | *antibuée, antidérapant, antirides* |
| **auto-** | de soi-même | *automobile, autoportrait, autofinancement* |
| **biblio-** | livre | *bibliographie, bibliothèque, bibliophile* |
| **cardio-** | cœur | *cardiologie, cardiogramme, cardio-vasculaire* |
| **circon-** | autour | *circonférence, circonscription* |
| **kilo-** | mille | *kilogramme, kilomètre, kilo-octet* |
| **micro-** | petit | *microbiologie, micro-ordinateur, microscope* |
| **simili-** | semblable | *similitude, similicuir, similibois* |
| **thermo-** | chaleur | *thermomètre, thermostat, thermo-électricité* |
| **tri-** | trois | *tricentenaire, trilingue, tricolore* |
| **zoo-** | animal | *zoographie, zoologie, zoophobie* |

**Règles d'écriture**

Les préfixes se soudent généralement au radical : on observe une tendance marquée à supprimer les traits d'union pour constituer des unités lexicales simples. Seule la rencontre de deux voyelles impose parfois le trait d'union. *Méga-octet, micro-ordinateur.*

# Préposition

La préposition est un mot invariable qui sert à introduire un complément, qu'il unit, par un rapport de temps, de lieu, de moyen, de manière, etc., à un mot complété (verbe, nom, adjectif...).

## Quelques prépositions

**à**
*Je viendrai à midi* (temps).
*Il habite à la campagne* (lieu).
*Se battre à l'épée* (moyen).

**de**
*Marcher de midi à minuit* (temps).
*Se rapprocher de la ville* (lieu).
*Une femme de tête* (manière).

**par**
*Passer par Trois-Rivières* (lieu).
*Travailler dix heures par jour* (temps).
*Voyager par goût* (manière).

**dans**
*Il arrivera dans une heure* (temps).
*Elle travaille dans un bureau* (lieu).
*Boire dans un verre* (instrument).

**en**
*Elle habite en Gaspésie* (lieu).
*En été* (temps).
*Une bague en or* (matière).

**pour**
*Partir pour la campagne* (lieu).
*Partir pour deux jours* (temps).
*Des bottes pour la pluie* (destination).

☞ Attention à certains mots qui sont tantôt des prépositions s'ils introduisent un complément, tantôt des adverbes s'ils n'en introduisent pas.

*Il y a un chien **derrière** l'arbre.* Le mot **derrière** introduit un complément circonstanciel : c'est une **préposition**.

*Les chiens sont restés **derrière**.* Le mot **derrière** n'introduit pas de complément : c'est un **adverbe**.

## Principales prépositions

| | | | | | | | |
|---|---|---|---|---|---|---|---|
| à | chez | depuis | durant | hors | par | sans | sur |
| après | contre | derrière | en | jusque | parmi | sauf | vers... |
| avant | dans | dès | entre | malgré | pendant | selon | |
| avec | de | devant | envers | outre | pour | sous | |

## LOCUTION PRÉPOSITIVE

La **locution prépositive** est composée de plusieurs mots et joue le même rôle que la préposition : elle introduit un complément. *Un joli jardin a été aménagé **en arrière de** la maison.*

☞ Les locutions prépositives introduisent toujours un complément. Attention à certaines locutions qui n'introduisent pas de complément et qui sont alors des locutions adverbiales.

*Les enfants jouent en avant de l'école.* La locution **en avant de** introduit un complément circonstanciel : c'est une **locution prépositive**.

*Regardez en avant.* La locution **en avant** n'introduit pas de complément : c'est une **locution adverbiale**.

## Principales locutions prépositives

| | | | | | |
|---|---|---|---|---|---|
| à cause de | à l'insu de | auprès de | de delà | en dehors de | par-delà |
| à condition de | à l'intention de | au prix de | de derrière | en dépit de | par-dessous |
| à côté de | à moins de | au sujet de | de dessous | en face de | par-dessus |
| à défaut de | à raison de | autour de | de dessus | en faveur de | par-devant |
| afin de | au cours de | au travers de | de devant | étant donné | par-devers |
| à force de | au-dedans de | aux dépens de | de façon à | face à | par rapport à |
| à l'abri de | au dehors de | aux environs de | de manière à | faute de | près de |
| à la façon de | au-dessous de | avant de | d'entre | grâce à | proche de |
| à la faveur de | au-dessus de | conformément à | de par | hors de | quant à |
| à la mode de | au-devant de | contrairement à | de peur de | jusqu'à | sauf à |
| à l'égard de | au lieu de | dans le but de | du côté de | le long de | vis-à-vis de... |
| à l'encontre de | au milieu de | d'après | en bas de | loin de | |
| à l'exception de | au moyen de | d'avec | en deçà de | par-dedans | |
| à l'exclusion de | au pied de | de chez | en dedans de | par-dehors | |

# Pronom

Le pronom est un mot qui représente généralement un nom ou une proposition.

*Je te prête mon livre : prends-**en** grand soin et rends-**le** moi demain.*

Les pronoms personnels **en** et **le** représentent le nom ***livre.***

☞— Parfois le pronom ne représente pas un nom, une proposition exprimés; il joue alors le rôle d'un nom indéterminé. *Quelqu'un m'a prévenu.*

☞— Le pronom peut aussi indiquer la personne grammaticale. *Nous avons rendez-vous après l'école.*

Il y a six sortes de pronoms : 1. Pronom personnel.
  2. Pronom possessif.
  3. Pronom démonstratif.
  4. Pronom indéfini.
  5. Pronom relatif.
  6. Pronom interrogatif.

## 1. PRONOM PERSONNEL

Le pronom personnel indique la personne du nom ou de l'objet dont il est question.

|  | Pronoms personnels sujets | Pronoms personnels compléments |
|---|---|---|
| Première personne, singulier | *je* | *me, moi* |
| Deuxième personne, singulier | *tu* | *te, toi* |
| Troisième personne, singulier | *il, elle, on* | *le, lui, se, soi, en, y* |
| Première personne, pluriel | *nous* | *nous* |
| Deuxième personne, pluriel | *vous* | *vous* |
| Troisième personne, pluriel | *ils, elles* | *ils, elles, les, leur, en, y* |

La première personne est celle qui parle. *Je reviendrai demain. Regarde-moi.*

La deuxième personne est celle à qui l'on parle. *Tu reviendras demain? Regarde-toi.*

La troisième personne est celle dont on parle. *Elles reviendront demain? Regarde-les.*

☞— Devant une voyelle ou un **h** muet, certains pronoms s'élident : **j', m', t', l', s'**. *J'aime, je m'ennuie, il t'aime, tu ne l'aimes pas, ils s'habituent.*

## 2. PRONOM POSSESSIF

– Le pronom possessif représente un nom de personne ou d'animal en précisant le «possesseur». *Votre chien est bien dressé; le nôtre est très turbulent.*

– Comme l'adjectif possessif, le pronom possessif est loin de toujours marquer un rapport de possession; il n'exprime souvent qu'une simple relation, qu'un lien de dépendance, d'affinité, de proximité, etc.

☞— 1° Il ne faut pas confondre le pronom personnel et le déterminant possessif. *Notre chatte est blanche; la vôtre est noire.*

2° **Notre** est un déterminant possessif; **la vôtre** est un pronom possessif qui remplace «votre chatte». Le déterminant s'écrit avec un **o,** le pronom possessif avec un **ô** et il est toujours précédé d'un article défini.

suite ➡

# Pronom suite

— Formes du pronom possessif

### • UN SEUL POSSESSEUR

| | SINGULIER | | PLURIEL | |
|---|---|---|---|---|
| | masculin | féminin | masculin | féminin |
| Première personne | le mien | la mienne | les miens | les miennes |
| Deuxième personne | le tien | la tienne | les tiens | les tiennes |
| Troisième personne | le sien | la sienne | les siens | les siennes |

### • PLUSIEURS POSSESSEURS

| | SINGULIER | | PLURIEL |
|---|---|---|---|
| | masculin | féminin | |
| Première personne | le nôtre | la nôtre | les nôtres |
| Deuxième personne | le vôtre | la vôtre | les vôtres |
| Troisième personne | le leur | la leur | les leurs |

## 3. PRONOM DÉMONSTRATIF

— Le pronom démonstratif représente un nom dont il prend le genre et le nombre et un déterminant démonstratif; il sert à montrer la personne ou la chose désignée par ce nom. *Ces fleurs sont plus odorantes que celles-ci. C'est magnifique.*

— Formes du pronom démonstratif

| GENRE | SINGULIER | | PLURIEL | |
|---|---|---|---|---|
| Masculin | celui | (celui-ci, celui-là) | ceux | (ceux-ci, ceux-là) |
| Féminin | celle | (celle-ci, celle-là) | celles | (celles-ci, celles-là) |
| Neutre | ce | (ceci, cela) | | |

## 4. PRONOM INDÉFINI

Le pronom indéfini représente une personne, une chose qu'il désigne d'une manière indéterminée, vague. *L'un dit oui, l'autre dit non. Nous n'avons rien mangé et nous n'avons vu personne.*

Pronoms indéfinis variables :
*Aucun, certain, chacun, l'un, l'autre, le même, maint, nul, pas un, plus d'un, quelqu'un, tel, tout, un autre, un tel...*

Pronoms indéfinis invariables :
*Autrui, on, personne, plusieurs, quelque chose, quiconque, rien...*

## 5. PRONOM RELATIF

Le pronom relatif représente un nom ou un pronom et introduit une proposition relative. *La ville dont je parle est Montréal. L'enfant qui court ressemble à ton frère. Ceux que j'ai vus paraissent excellents.*

Le nom ou le pronom représenté par le pronom relatif est l'antécédent.

• Pronoms relatifs définis

— Formes simples: *qui, que, quoi, dont, où.*

suite →

# Pronom suite

– Formes composées

| SINGULIER | | PLURIEL | |
|-----------|---|---------|---|
| masculin | féminin | masculin | féminin |
| lequel | laquelle | lesquels | lesquelles |
| duquel | de laquelle | desquels | desquelles |
| auquel | à laquelle | auxquels | auxquelles |

☞ La forme du pronom relatif varie selon sa fonction dans la phrase.

• Pronoms relatifs indéfinis. *Quel que soit le problème, on trouvera la solution.*

*Quiconque, qui que, quoi que, quel que, qui que ce soit, quoi que ce soit que...*

## 6. PRONOM INTERROGATIF

Le pronom interrogatif représente une personne, une chose que l'on ne connaît pas et sur laquelle porte l'interrogation. *Qui sont-ils? Quel est ton nom? Je me demande ce que tu veux.*

Interrogation directe : *qui, que, quoi, où, lequel, laquelle, lesquels, lesquelles.*

Interrogation indirecte : *ce qui, ce que, lequel, laquelle, lesquels, lesquelles.*

☞ Le pronom **lequel** représente une personne, une chose dont on parle et avec laquelle il s'accorde en genre et en nombre. *Lequel de ces disques préférez-vous?*

V. Tableau – **QUE,** PRONOM.

..................................................

Voir aussi les tableaux suivants :

- **EN,** PRONOM.

- **LE, LA, LES,** PRONOMS PERSONNELS.

- **OÙ,** PRONOM RELATIF.

- **INTERROGATIF** (PRONOM).

..................................................

# Pronominaux

Les verbes pronominaux sont accompagnés d'un pronom personnel (*me, te, se, nous, vous*) qui représente le sujet parce que ce sujet est à la fois l'auteur et l'objet de l'action.
*Elle se regarde. Nous nous parlons.*

☞ À l'infinitif, les verbes pronominaux sont toujours précédés du pronom *se* (*s'*). Certains verbes sont essentiellement pronominaux, c'est-à-dire qu'ils n'existent qu'à la forme pronominale (*se souvenir*); d'autres sont accidentellement pronominaux, c'est-à-dire qu'ils peuvent exister sous une forme non pronominale, mais ils deviennent pronominaux à l'occasion. Ex. : *Aimer et s'aimer, contempler, se contempler, parfumer et se parfumer.* Le pronom peut être complément d'objet direct ou indirect. *Ils se sont consultés, elles se sont succédé.*

## LES VERBES PRONOMINAUX RÉFLÉCHIS

Les pronominaux sont réfléchis lorsque l'action qu'ils marquent a pour objet le sujet du verbe.
*Elle s'est parfumée.*

Les pronominaux réfléchis sont appelés **réciproques** lorsqu'ils marquent une action exercée par plusieurs sujets l'un sur l'autre, les uns sur les autres. Les pronominaux réciproques ne s'emploient donc qu'au pluriel.
*Ils se sont écoutés, ils se sont battus.*

## LES VERBES PRONOMINAUX NON RÉFLÉCHIS

Les pronominaux non réfléchis sont accompagnés d'un pronom (*me, te, se,* etc.) qui n'est pas un complément d'objet direct, mais qui fait partie de la forme verbale, pour ainsi dire.
*S'apercevoir, s'approcher, s'avancer, se défier, se douter, s'écrier, s'endormir, s'envoler, s'évanouir, s'imaginer, se jouer, se moquer, s'ouvrir, se plaindre, se prévaloir, se repentir, se servir, se souvenir, se taire...*

## ACCORD DU PARTICIPE PASSÉ DES VERBES PRONOMINAUX

**1. Le participe passé des verbes pronominaux réfléchis ou réciproques** s'accorde avec le complément d'objet direct qui précède le verbe.
*Elle s'est habillée.*
*Ils se sont regardés.*

☞ Le participe passé des pronominaux réfléchis ou réciproques ne s'accorde pas avec le complément d'objet direct qui suit le verbe. *Ils se sont écrit des lettres. Tu t'es acheté des livres.* Si le verbe a un complément d'objet indirect, le participe passé ne s'accorde pas. *Elles se sont parlé.*

**2. Le participe passé des verbes pronominaux non réfléchis** (dont le pronom est sans fonction logique) s'accorde avec le sujet. *Les enfants se sont aperçus de son arrivée. Ils se sont approchés.*

☞ Exceptions : **se complaire, se déplaire, se plaire, se rire**. *Les élèves se sont ri du conférencier.* Les participes passés de ces quatre verbes sont invariables.

**3. Le participe passé des verbes essentiellement pronominaux** (qui n'existent qu'à la forme pronominale) s'accorde en genre et en nombre avec le sujet du verbe.
*Ils se sont abstenus de voter. Elles se sont absentées.*

### QUELQUES VERBES ESSENTIELLEMENT PRONOMINAUX

| | | | | | |
|---|---|---|---|---|---|
| s'absenter | s'agenouiller | s'emparer | s'envoler | s'insurger | se rebeller |
| s'abstenir | s'avérer | s'empresser | s'éprendre | se méfier | se réfugier |
| s'accouder | se blottir | s'en aller | s'évanouir | se moquer | se repentir |
| s'accroupir | se désister | s'enfuir | s'exclamer | s'obstiner | se soucier |
| s'acharner | s'écrier | s'enquérir | s'immiscer | se prélasser | se souvenir |
| s'affairer | s'efforcer | s'ensuivre | s'infiltrer | se raviser | se suicider |

# Proposition

La proposition est une phrase qui comprend un verbe conjugué (à l'indicatif, au conditionnel, au subjonctif ou à l'impératif). Il y a autant de propositions dans une phrase qu'il y a de verbes conjugués.
*L'avion se prépare à toucher le sol.* (Une proposition)
*L'avion touche le sol et freine brusquement.* (Deux propositions)

## La proposition indépendante

La proposition indépendante possède un sens complet par elle-même. *Le train part dans quelques minutes.*

☞— 1° Une phrase peut comprendre plusieurs propositions indépendantes coordonnées ou juxtaposées. *Le chien jappe et le cheval hennit.* Les deux propositions indépendantes sont coordonnées par la conjonction de coordination **et**.

2° *La voiture roule à vive allure, ralentit et s'immobilise.* Les deux premières propositions sont des indépendantes juxtaposées reliées par une virgule, tandis que la troisième proposition est une indépendante coordonnée à la deuxième par **et**.

## La proposition principale

La proposition qui ne dépend d'aucune autre, mais qui est accompagnée d'une ou de plusieurs propositions subordonnées, est une **proposition principale**. *Le facteur livre le colis* (proposition principale) *que nous attendions* (proposition subordonnée).

☞— Sans subordonnée, la proposition principale serait une proposition indépendante.

## La proposition subordonnée

La proposition qui complète le sens de la principale est une **proposition subordonnée**.

Elle est reliée à la proposition principale par un pronom relatif (**qui, que, quoi, dont, où...**) ou par une conjonction, une locution conjonctive de subordination (**que, quand, si, lorsque, parce que...**).

## Proposition subordonnée relative

La proposition subordonnée relative est introduite par un pronom relatif. *La pomme* [*que j'ai mangée*] *était délicieuse.* La proposition relative détermine le nom **pomme.**

## Proposition subordonnée conjonctive

La proposition subordonnée conjonctive est introduite par une conjonction ou une locution conjonctive de subordination.

FONCTIONS DE LA SUBORDONNÉE

- Complément déterminatif de l'antécédent. *Le train* [*qui part à l'instant*] *est à destination de Rome.*
- Complément d'objet direct. *Je pense* [*que cet avion n'ira pas loin*].
- Complément d'objet indirect. *Je vous préviens* [*que je pars demain*].
- Complément circonstanciel :
  - de temps. [*Quand le soleil brille*], *il fait plus chaud.*
  - de cause. *L'avion n'a pu décoller* [*parce qu'il y avait du brouillard*].
  - de but. *Couchons-nous tôt ce soir* [*pour que nous soyons en forme demain*].
  - de conséquence. *Tu as tellement couru* [*que tu es essoufflé*].
  - de concession. [*Quoiqu'il soit déjà tard*], *je viendrai.*
  - de comparaison. [*Comme on fait son lit*], *on se couche.*
  - de condition. [*S'il fait beau*], *nous irons nous promener.*

☞— Une phrase peut comprendre plusieurs propositions principales et subordonnées tant coordonnées que juxtaposées les unes aux autres.

# Que, conjonction

La conjonction de subordination **que** sert à introduire une proposition subordonnée complétive sujet, attribut, complément d'objet ou complément circonstanciel; elle marque le souhait, le commandement et accompagne le subjonctif. La conjonction sert également de corrélatif aux comparatifs.

☞— Devant une voyelle ou un **h** muet, la conjonction s'élide. *Qu'il, qu'une.*

• La conjonction introduit une proposition complétive.

*Il importe que tu réfléchisses. Calmez-vous un peu que je vous explique.*

• La conjonction introduit une proposition circonstancielle.

*Il faisait si froid que le ski était impossible.*

• La conjonction accompagne le subjonctif.

*Qu'il pleuve ou qu'il vente, nous serons là.*

• La conjonction introduit le second terme d'une comparaison.

*Il est plus grand que toi.*

• La conjonction est en corrélation avec **ne**... pour marquer la restriction.

*Il ne fait que critiquer.*

**Locutions conjonctives**

*Afin que, ainsi que, avant que, après que, bien que, dès que, encore que, pourvu que, puisque, quoique, tandis que...*

V. Tableau – **CONJONCTION.**

........................ ① ........................

La conjonction ou la locution conjonctive de subordination définit le mode de la proposition subordonnée. La plupart des conjonctions de cause, de conséquence, de comparaison sont suivies d'un verbe au mode indicatif ou au mode conditionnel; certaines conjonctions de concession, de but, de condition et de temps expriment une incertitude et imposent le mode subjonctif.

Une liste détaillée de conjonctions et de locutions conjonctives figure au Tableau – **CONJONCTION.**

........................................................

# Que, pronom

---

**QUE**, PRONOM RELATIF MASCULIN ET FÉMININ

Le pronom relatif *que* relie une proposition subordonnée à un nom ou à un pronom (l'antécédent). *Les villes que vous avez visitées; celles que vous n'avez pas encore vues.*

☞— Devant une voyelle ou un *h* muet, le pronom s'élide. *La montagne qu'il a escaladée. La promenade qu'Hélène fera.*

FONCTIONS DU PRONOM

- Complément d'objet direct. *Les paysages que vous avez vus.*

- Attribut. *Le scientifique qu'il est.*

- Sujet. *La pluie que je vois tomber.*
    - ☞— Le pronom relatif est sujet de l'infinitif.

- Complément circonstanciel. *Les années que nous avons vécu à la campagne.*

    ☞— Le pronom relatif est complément circonstanciel quand il a la valeur de **où, dont, pendant lequel, durant lequel,** etc.

---

**QUE**, PRONOM INTERROGATIF NEUTRE

Le pronom interrogatif *que* introduit une proposition interrogative.

FONCTIONS DU PRONOM

### 1. Interrogation directe

- Complément d'objet direct. *Que dis-tu?*
    - ☞— La construction **qu'est-ce que** s'emploie également, mais elle est plus lourde.

- Attribut. *Qu'est ce parfum?*

- Sujet d'un verbe impersonnel. *Que va-t-il arriver?*

### 2. Interrogation indirecte

- Complément d'objet direct. *Je ne sais que décider.*

- Attribut. *Il ne sait que devenir.*

### Locutions interrogatives

**Qu'est-ce qui.** *Qu'est-ce qui vous prend?*
**Qu'est-ce que.** *Qu'est-ce que vous dites?*

V. Tableau – **PRONOM.**

---

........................ ① ........................

À noter qu'en interrogation directe la phrase est suivie d'un point d'interrogation.
*Que veut-elle?*

Par contre, en interrogation indirecte, la phrase se termine par un point.
*Il se demande ce qu'elle veut.*

........................................

# Quel

## QUEL, QUELLE, ADJECTIF INTERROGATIF

L'adjectif interrogatif *quel, quelle* questionne sur la qualité, la nature, l'identité d'une personne ou d'une chose et ne s'emploie que dans une phrase interrogative.

> *Quel bon vent vous amène?*

Interrogation directe : *Quelle heure est-il?*

Interrogation indirecte : *Expliquez-moi quels problèmes vous avez.*

## QUEL, QUELLE, ADJECTIF EXCLAMATIF

L'adjectif exclamatif *quel, quelle* marque l'admiration, l'étonnement, la tristesse, etc., et ne s'emploie que dans une phrase exclamative.

> *Quelle surprise et quel plaisir de vous retrouver tous!*

## QUEL QUE, QUELLE QUE, ADJECTIF RELATIF

L'adjectif relatif en deux mots *quel que, quelle que* qui est placé immédiatement devant le verbe *être* au subjonctif exprime une idée d'opposition.

> *Quelles que soient vos qualités, il vous faut travailler pour réussir.*

☞ L'adjectif relatif s'accorde en genre et en nombre avec le sujet du verbe. *Quels qu'ils soient, quelle que soit votre joie.*

☞ L'adjectif relatif s'écrit en deux mots.

V. Tableau – **QUELQUE.**
V. Tableau – **ADJECTIF.**

. . . . . . . . . . . . . . . . . . . . . . . . . . . . . . . . . . . . . . . . . . . . . . .

Bien distinguer *quel que*, adjectif relatif et *quelque*, adjectif indéfini ou adverbe.

ADJECTIF RELATIF
**Quelles que** soient les directives, il les suivra.

ADJECTIF INDÉFINI
J'ai invité **quelques** personnes.

ADVERBE
**Quelque** gentil que tu sois, va-t'en!

. . . . . . . . . . . . . . . . . . . . . . . . . . . . . . . . . . . . . . . . . . . . . . .

# Quelque

**QUELQUE, QUELQUES,** ADJECTIF INDÉFINI MASCULIN ET FÉMININ

Devant un nom seul ou accompagné d'un adjectif, *quelque* est un adjectif indéfini qui signifie un certain nombre, une quantité indéterminée. L'adjectif indéfini *quelque* est variable.

*J'ai apporté quelques fruits.*

☞— L'adjectif indéfini ne s'élide que devant *un* et *une. Quelqu'un, quelqu'une.*

☞— L'adjectif indéfini peut également signifier un certain nombre ou indiquer un petit nombre, une petite quantité. *Pendant quelque temps.*

☞— En ce sens, l'adjectif se met au singulier.

**QUELQUE,** ADVERBE

• Devant un adjectif, un participe passé ou un adverbe, *quelque* est un adverbe qui signifie *si* et est donc invariable.

*Quelque rapides que vous soyez, quelque spécialisée qu'elle soit, quelque habilement que vous lui expliquiez.*

• Devant un adjectif numéral, un nombre, *quelque* est un adverbe qui signifie «environ», «à peu près» et qui est donc invariable.

*Quelque cinquante personnes ont participé au spectacle.*

RÉSUMÉ

| Construction | *quelque* + nom | *quelque* + nom | *quelque* + adjectif | *quelque* + participe passé | *quelque* + adverbe | *quelque* + adjectif numéral |
|---|---|---|---|---|---|---|
| **Nature** | adjectif indéfini | adjectif indéfini | adverbe | adverbe | adverbe | adverbe |
| **Sens** | un certain nombre de | un certain | si, aussi | si, aussi | si, aussi | environ |
| **Accord** ou **invariabilité** | accord | invariabilité | invariabilité | invariabilité | invariabilité | invariabilité |
| **Exemples** | *Quelques pommes sont mûres.* | *Dans quelque temps.* | *Quelque aimables que soient ces personnes...* | *Quelque fatigués que nous soyons...* | *Quelque rapidement qu'ils courent...* | *Quelque cent participants étaient là.* |

V. Tableau – **QUEL.**

# Qui

## QUI, PRONOM RELATIF MASCULIN ET FÉMININ

Le pronom relatif *qui* relie une proposition subordonnée à un nom ou à un pronom (l'antécédent). *L'amie qui m'a aidé est gentille. Ceux qui sont d'accord doivent lever la main.*

☞— Le pronom relatif est du même genre et du même nombre que le nom ou le pronom qu'il représente (l'antécédent); le verbe, le participe passé, l'attribut s'accordent avec l'antécédent. *C'est elle qui est venue. Vous qui êtes partis, revenez.*

### FONCTIONS DU PRONOM

• Sujet. *La colombe qui vole.*

• Complément d'objet indirect. *La personne à qui j'ai rêvé.*

☞— Pour les animaux et les êtres inanimés, on emploie le pronom *dont* qui convient également aux personnes.

• Complément circonstanciel. *L'ami avec qui je joue. Celui pour qui il travaille.*

☞— Sans antécédent, le pronom relatif a le sens de «quiconque». *Regarde qui tu voudras. Qui vivra verra.*

### Locutions

• *Qui que ce soit* (personne). Une personne quelconque. *Je ne parlerai pas à qui que ce soit.*

• *Qui que ce soit qui. Qui que ce soit qui vienne, je l'accueillerai.*

☞— Avec cette locution, le verbe se construit au subjonctif.

• *Qui que. Qui que vous soyez.*

☞— Cette construction qui exprime une concession se construit avec le subjonctif.

• *Ce qui* et *ce qu'il.*

☞— Avec certains verbes qui admettent à la fois la construction personnelle et impersonnelle, les deux locutions s'emploient indifféremment. *Ce qui, ce qu'il importe. Il avait prévu ce qui arrive, ce qu'il arrive.*

## QUI, PRONOM INTERROGATIF MASCULIN ET FÉMININ

Le pronom interrogatif *qui* introduit une proposition interrogative et a le sens de *quelle personne?* *Qui vient prendre la relève?*

☞— Le verbe, le participe, le participe passé, l'attribut s'accordent généralement au masculin singulier.

### FONCTIONS DU PRONOM

| Interrogation directe | Interrogation indirecte |
|---|---|
| • Sujet. *Qui chante ainsi?* | • Attribut. *Rappelez-vous qui elle est.* |
| • Attribut. *Qui es-tu?* | |
| • Complément d'objet direct. *Qui a-t-il rencontré?* | |
| • Complément d'objet indirect. *De qui parlez-vous?* | |
| • Complément circonstanciel. *À qui s'adresse-t-elle?* | |

### Locutions pronominales interrogatives

• *Qui est-ce qui. Qui est-ce qui vient?*
• *Qui est-ce que. Qui est-ce que j'entends?*

# Quoi

## QUOI, PRONOM RELATIF

Le pronom relatif neutre *quoi* ne peut représenter que des choses.

1. Avec un antécédent, il a le sens de *lequel, laquelle, laquelle chose.*

   *Ce à quoi j'ai rêvé, c'est de partir en voyage.*

☞— L'antécédent est un pronom ou une locution neutre, *ce, rien, quelque chose.* Attention à l'emploi du pronom avec un verbe dont le complément est introduit par la préposition *de* (de quoi). *Le livre dont on a parlé* (et non *qu'on a parlé).

2. Sans antécédent, il a le sens de *ce qui est nécessaire.*

   *Apportons-nous de quoi manger.*

3. Il introduit une proposition concessive et a le sens de *quelle que soit la chose que.*

   *Quoi que vous fassiez, il sera d'accord.*

☞— Cette locution se construit avec le subjonctif. Ne pas confondre avec la conjonction *quoique* qui signifie «bien que». *Quoique nous avions leur accord.*

   – *Quoi qu'il en soit.* En tout état de cause.
   – *Sans quoi.* Sinon.

## QUOI, PRONOM INTERROGATIF

1. Interrogation directe. Quelle chose?

   *Devinez quoi? Quoi de plus joli qu'un bouquet de roses? À quoi rêves-tu? De quoi a-t-on parlé? Quoi de nouveau?*

① 2. Interrogation indirecte

   *Il ne sait pas de quoi elle parle. Elle ne sait pas quoi conclure.*

   **Quoi + épithète.** Le pronom se construit avec la préposition *de.*

   *Quoi de plus charmant.*

## QUOI, PRONOM EXCLAMATIF

Il marque la surprise, l'admiration, l'indignation.

   *Quoi! vous avez osé! Eh quoi! admettrez-vous que vous avez tort?*

- - - - - - - - - - - - - - - - - - - - - - - - - - ① - - - - - - - - - - - - - - - - - - - - - - - - -

À noter qu'en interrogation directe la phrase est suivie d'un point d'interrogation.
   *À quoi penses-tu?*

Par contre, en interrogation indirecte, la phrase se termine par un point.
   *Il ne sait pas à quoi elle pense.*

- - - - - - - - - - - - - - - - - - - - - - - - - - - - - - - - - - - - - - - - - - - - - - - - - - -

# Raison sociale

La raison sociale est la dénomination d'une entreprise.

Les noms de sociétés, les noms sous lesquels des particuliers font des affaires, les noms de coopératives, les noms d'associations sont des raisons sociales.

L'Office de la langue française a publié un guide sur la formulation des raisons sociales[1] dont sont reproduits ici les éléments essentiels.

## COMPOSITION DE LA RAISON SOCIALE

Une raison sociale est généralement constituée de deux parties :

– une partie **générique** qui sert à identifier de façon générale une entreprise;

– une partie **spécifique** qui sert à distinguer une entreprise d'une autre.

## MAJUSCULES ET MINUSCULES

Outre les noms propres (patronymes, noms de lieux, etc.), seuls le premier mot du générique et le premier mot du distinctif prennent la majuscule, à moins que toute la raison sociale ne soit en majuscules.

*Pâtisserie Aux délices de Madeleine.*
*Agence de voyages Au long cours.*

☞ Si un article précède le premier substantif de la dénomination, ces deux mots s'écrivent avec une majuscule. *La Nouvelle Société informatique.*

## INDICATION DU STATUT JURIDIQUE

Abréviations :     limitée     ***ltée***
                     incorporée     ***inc.***
                     enregistrée     ***enr.***

Ces indications qui suivent la raison sociale de l'entreprise s'écrivent sous leur forme abrégée avec la minuscule.

*Plomberie Dubois inc.*

---

1. Office de la langue française. *Les raisons sociales,* Québec, Éditeur officiel du Québec, 1980, 18 p.

· · · · · · · · · · · · · · · · · · · · · · · · ① · · · · · · · · · · · · · · · · · · · · · · ·

Les mentions ***inc., enr. , ltée*** utilisées dans les raisons sociales au Canada, précisent le type de société que constitue une entreprise.

· · · · · · · · · · · · · · · · · · · · · · · · · · · · · · · · · · · · · · · · · · · · · · · · · · · ·

# Conjugaison du verbe **recevoir**

## INDICATIF

### Présent

je reçois
tu reçois
il reçoit
nous recevons
vous recevez
ils reçoivent

### Passé composé

j'ai reçu
tu as reçu
il a reçu
nous avons reçu
vous avez reçu
ils ont reçu

### Imparfait

je recevais
tu recevais
il recevait
nous recevions
vous receviez
ils recevaient

### Plus-que-parfait

j'avais reçu
tu avais reçu
il avait reçu
nous avions reçu
vous aviez reçu
ils avaient reçu

### Passé simple

je reçus
tu reçus
il reçut
nous reçûmes
vous reçûtes
ils reçurent

### Passé antérieur

j'eus reçu
tu eus reçu
il eut reçu
nous eûmes reçu
vous eûtes reçu
ils eurent reçu

### Futur simple

je recevrai
tu recevras
il recevra
nous recevrons
vous recevrez
ils recevront

### Futur antérieur

j'aurai reçu
tu auras reçu
il aura reçu
nous aurons reçu
vous aurez reçu
ils auront reçu

## CONDITIONNEL

### Présent

je recevrais
tu recevrais
il recevrait
nous recevrions
vous recevriez
ils recevraient

### Passé

j'aurais reçu
tu aurais reçu
il aurait reçu
nous aurions reçu
vous auriez reçu
ils auraient reçu

## SUBJONCTIF

### Présent

que je reçoive
que tu reçoives
qu'il reçoive
que nous recevions
que vous receviez
qu'ils reçoivent

### Passé

que j'aie reçu
que tu aies reçu
qu'il ait reçu
que nous ayons reçu
que vous ayez reçu
qu'ils aient reçu

### Imparfait

que je reçusse
que tu reçusses
qu'il reçût
que nous reçussions
que vous reçussiez
qu'ils reçussent

### Plus-que-parfait

que j'eusse reçu
que tu eusses reçu
qu'il eût reçu
que nous eussions reçu
que vous eussiez reçu
qu'ils eussent reçu

## IMPÉRATIF

### Présent

reçois
recevons
recevez

### Passé

aie reçu
ayons reçu
ayez reçu

## PARTICIPE

### Présent

recevant

### Passé

reçu, ue
ayant reçu

## INFINITIF

### Présent

recevoir

### Passé

avoir reçu

# Références bibliographiques

Les références bibliographiques diffèrent selon qu'il s'agit d'un livre :

CORBEIL, Jean-Claude et Ariane ARCHAMBAULT. *Le Visuel,* Montréal, Éditions Québec/Amérique, 1992, 928 p.

ou d'un article :

BEAULIEU, Carole. «Travailler en l'an 2000», *L'actualité,* vol. 16, n° 8, 15 mai 1991, p. 39–42.

La référence comprend les renseignements suivants :

LIVRE

1. le nom de l'auteur ou des auteurs
2. le titre du livre
3. le lieu de publication
4. l'éditeur
5. la date de publication
6. le nombre de pages

ARTICLE

1. le nom de l'auteur ou des auteurs
2. le titre de l'article
3. le nom du périodique
4. le numéro de l'édition, du volume ou du périodique
5. la date de publication
6. l'indication des pages de l'article

### • le nom de l'auteur

Le nom de l'auteur est noté en majuscules; il est séparé par une virgule du prénom écrit en minuscules avec une majuscule initiale, et suivi d'un point.

LECLERC, Félix.

☞ Dans la mesure du possible, le prénom sera écrit au long.

S'il y a deux ou trois auteurs, le nom et le prénom des autres auteurs sont écrits à la suite, dans l'ordre de la lecture cependant, et sont séparés par une virgule ou par la conjonction *et.*

BRUNOT, Ferdinand, Charles BRUNEAU.
DAMOURETTE, Jacques et Édouard PICHON.

S'il y a de nombreux auteurs, on utilisera l'abréviation de l'expression latine *et alii* signifiant «et les autres», *et al.*

DUBOIS, Jean, *et al.*

S'il s'agit d'un ouvrage collectif ou d'un document dont l'auteur n'est pas mentionné, la référence commencera alors par le titre du document.

### • le titre du livre

Le titre est souligné et il est suivi d'une virgule. Si l'on dispose de caractères italiques (à l'ordinateur, par exemple), il est préférable d'écrire le titre en italiques plutôt que de le souligner. Le titre est écrit en minuscules, à l'exception de la majuscule initiale et des noms propres qui le composent. V. Tableau – **MAJUSCULES ET MINUSCULES.**

*Dictionnaire étymologique de la langue française, Grand Dictionnaire Larousse,*

### • le titre d'un article

Le titre d'un article est généralement placé entre guillemets après le nom de l'auteur. Il est suivi soit d'une virgule, soit de la mention latine *in*, soit de la préposition *dans*; on écrit ensuite le nom du périodique qui est souligné ou, mieux encore, mis en italique.

C.I.L.F. «Vocabulaire de l'industrie et du bâtiment» dans *La banque des mots,* revue semestrielle,

suite ➝

# Références bibliographiques suite

**• le numéro de l'édition, du volume ou du périodique**

S'il y a lieu, on inscrira le numéro de l'édition après le titre du livre.

*La pensée et la langue,* 3ᵉ éd.,

Pour un périodique, il importe de faire figurer le numéro du volume, s'il y a lieu, et le numéro du périodique.

*Le français dans le monde,* vol. 22, n° 170,

**• l'éditeur, le lieu et la date de publication**

Le lieu de la publication, noté en minuscules et suivi d'une virgule, précède le nom de l'éditeur et la date de publication.

Montréal, La courte échelle, 1989.

☞— 1° Il arrive qu'un ouvrage ne comporte pas de mention de date ou de lieu d'édition, on inscrira alors **s.l.** (sans lieu), **s.d.** (sans date).

2° Dans certaines bibliographies à caractère technique, la date de la publication vient immédiatement après le nom de l'auteur.

**• le nombre de volumes et le nombre de pages**

On utilise l'abréviation de page (p.).

345 p.

☞— Quand l'ouvrage comprend plusieurs volumes, on écrit le nombre avant l'indication du nombre de pages à l'aide de l'abréviation **vol.** 2 vol., 345 p.

Si l'ouvrage n'est pas paginé, on écrira **s.p.** (sans page).

**• l'indication des pages d'un article**

La notation des pages d'un article est faite à l'aide de l'abréviation **p.** (et non plus pp.) suivie des numéros des première et dernière pages de l'article séparés par un trait d'union ou par la préposition **à.**

p. 15-20 ou p. 15 à 20.

UNIFORMITÉ ET PRÉCISION

Selon le contexte, les références bibliographiques seront plus ou moins concises, le nombre d'éléments d'information fournis pourra varier.

Ainsi, à l'intérieur d'un texte, on citera parfois uniquement le nom de l'auteur et l'année de la publication ou le titre de l'ouvrage et la page de la citation. Cependant, les références complètes seront données dans la bibliographie finale.

Il importe de présenter de façon uniforme les divers renseignements d'un même ouvrage, d'adopter des caractères identiques et de conserver une ponctuation uniforme.

# Adjectif **relatif**

L'adjectif relatif se place devant un nom pour indiquer que l'on rattache à un antécédent la subordonnée qu'il introduit.

    – masculin singulier         **lequel, duquel, auquel**

(1)    – féminin singulier          **laquelle, de laquelle, à laquelle**

    – masculin pluriel           **lesquels, desquels, auxquels**

    – féminin pluriel             **lesquelles, desquelles, auxquelles**

*Il a reconnu vous devoir la somme de trois cents dollars, laquelle somme vous sera remboursée sous peu.*

(2)  ☞   À l'exception de la langue juridique, les adjectifs relatifs sont peu courants.

V. Tableau – **ADJECTIF.**

. . . . . . . . . . . . . . . . . . . . . . . . . (1) . . . . . . . . . . . . . . . . . . . . . . . . .

Tous les adjectifs relatifs s'écrivent en un seul mot, à l'exception de *à laquelle, de laquelle.*

. . . . . . . . . . . . . . . . . . . . . . . . . (2) . . . . . . . . . . . . . . . . . . . . . . . . .

L'emploi de l'adjectif relatif est aussi de niveau littéraire.

    *Nous avions choisi une auberge à la campagne, laquelle auberge...*

    *L'objectif sera peut-être atteint, auquel cas nous pourrons passer à la phase suivante.*

. . . . . . . . . . . . . . . . . . . . . . . . . . . . . . . . . . . . . . . . . . . . . . . . . . .

# Conjugaison du verbe **rendre**

## INDICATIF

### Présent

je rends
tu rends
il rend
nous rendons
vous rendez
ils rendent

### Passé composé

j'ai rendu
tu as rendu
il a rendu
nous avons rendu
vous avez rendu
ils ont rendu

### Imparfait

je rendais
tu rendais
il rendait
nous rendions
vous rendiez
ils rendaient

### Plus-que-parfait

j'avais rendu
tu avais rendu
il avait rendu
nous avions rendu
vous aviez rendu
ils avaient rendu

### Passé simple

je rendis
tu rendis
il rendit
nous rendîmes
vous rendîtes
ils rendirent

### Passé antérieur

j'eus rendu
tu eus rendu
il eut rendu
nous eûmes rendu
vous eûtes rendu
ils eurent rendu

### Futur simple

je rendrai
tu rendras
il rendra
nous rendrons
vous rendrez
ils rendront

### Futur antérieur

j'aurai rendu
tu auras rendu
il aura rendu
nous aurons rendu
vous aurez rendu
ils auront rendu

## CONDITIONNEL

### Présent

je rendrais
tu rendrais
il rendrait
nous rendrions
vous rendriez
ils rendraient

### Passé

j'aurais rendu
tu aurais rendu
il aurait rendu
nous aurions rendu
vous auriez rendu
ils auraient rendu

## SUBJONCTIF

### Présent

que je rende
que tu rendes
qu'il rende
que nous rendions
que vous rendiez
qu'ils rendent

### Passé

que j'aie rendu
que tu aies rendu
qu'il ait rendu
que nous ayons rendu
que vous ayez rendu
qu'ils aient rendu

### Imparfait

que je rendisse
que tu rendisses
qu'il rendît
que nous rendissions
que vous rendissiez
qu'ils rendissent

### Plus-que-parfait

que j'eusse rendu
que tu eusses rendu
qu'il eût rendu
que nous eussions rendu
que vous eussiez rendu
qu'ils eussent rendu

## IMPÉRATIF

### Présent

rends
rendons
rendez

### Passé

aie rendu
ayons rendu
ayez rendu

## PARTICIPE

### Présent

rendant

### Passé

rendu, ue
ayant rendu

## INFINITIF

### Présent

rendre

### Passé

avoir rendu

# Saint, sainte, adjectif

Cet adjectif s'écrit généralement en toutes lettres; que ce soit dans un patronyme, dans un toponyme ou un odonyme, l'adjectif ne doit s'abréger qu'exceptionnellement sous les formes *S^t*, *S^{te}*, *S^{ts}*, *S^{tes}*, avec une majuscule initiale.

• **Les noms de saints**

L'adjectif s'écrit avec une minuscule et n'est pas joint au nom par un trait d'union.

*Ils prient sainte Thérèse et saint Jean-Baptiste.*

🖙 Deux exceptions où l'adjectif s'écrit avec une majuscule : *la Sainte Vierge, le Saint-Esprit*. Le nom de la Vierge s'écrit sans trait d'union, alors que **Saint-Esprit** s'écrit avec un trait d'union. Cependant, on écrit **Esprit saint**, sans trait d'union, mais avec une minuscule à l'adjectif **saint**.

• **Les noms de famille**

Généralement, le mot **saint** qui compose un patronyme n'est pas abrégé; il se joint au nom par un trait d'union et s'écrit avec une majuscule.

*Monsieur Saint-Pierre, Madame Sainte-Marie.*

• **Les toponymes, les odonymes, les noms de monuments et de fêtes**

L'adjectif s'écrit avec une majuscule et se joint au nom par un trait d'union.

*Il habite à Saint-Georges-de-Beauce, la rue Sainte-Catherine, l'oratoire Saint-Joseph, l'école Saint-Germain, la place Saint-Sulpice, on fêtera la Saint-Jean et on profitera de l'été de la Saint-Martin.*

......................................................

À noter :

**saint-bernard**
Le nom masculin du chien de montagne, de forte taille s'écrit avec des minuscules et un trait d'union. Le nom est invariable : *des saint-bernard.*

**saint-émilion**
Le nom masculin qui désigne un vin rouge s'écrit avec des minuscules, tandis que le nom de la région s'écrit avec des majuscules. Le nom est invariable : *des saint-émilion.*

**saint-paulin**
Le nom masculin qui désigne un fromage à pâte pressée s'écrit avec des minuscules et un trait d'union. Le nom est invariable : *des saint-paulin.*

......................................................

# **Si,** adverbe et conjonction

**Adverbe d'affirmation**

L'adverbe s'emploie pour contredire une question négative.
*Ne participeront-ils pas à la fête? Si, ils viendront.*

☞ Après une question affirmative, on emploie plutôt **oui**.

**Adverbe de quantité**

• Aussi.
*Elle n'est pas si naïve qu'on l'imagine. Il est rare de voir un élève si appliqué.*

☞ L'adverbe s'emploie en corrélation avec **que** ou seul.

• Tellement.
*Il travaille si fort qu'il n'a pas le temps de se reposer.*

**Conjonction**

La conjonction s'élide devant **il, ils.**
*S'il venait, s'ils mangeaient.*

• **Subordonnée hypothétique** + **principale au futur**. À condition que.
*S'il fait beau, nous irons nous promener.*

☞ Le verbe de la subordonnée est à l'indicatif présent ou au passé, jamais au conditionnel.

• **Subordonnée hypothétique** + **principale au présent ou au passé**. S'il est vrai que.
*Si l'informatique est un merveilleux outil, elle n'est pas encore tout à fait apprivoisée.*

• **Subordonnée hypothétique** + **principale au conditionnel**. Dans le cas où, à supposer que.
*Si j'avais su (et non si \*j'aurais su), je ne serais pas venu.*

☞ La subordonnée est à l'imparfait ou au plus-que-parfait et non au conditionnel.

• **Subordonnée à valeur concessive**

– Même si.
*Si le chiffre d'affaires a augmenté un peu, les dépenses ont doublé.*

– Quelque... que.
*Si compétente que soit cette personne, elle peut se tromper.*

• **Conjonction introduisant une interrogation indirecte**
*Elle se demandait s'il viendrait. Il se demande s'il ira.*

☞ On peut employer le conditionnel ou le futur après la conjonction **si** dans le style indirect.

• **Conjonction exprimant une hypothétique opposition**
*Si vous n'oseriez l'avouer, moi, j'oserais.*

• **Conjonction introduisant une conséquence**
De telle sorte que, tellement que, si bien que.

☞ Le verbe se construit avec l'indicatif ou le conditionnel dans une phrase affirmative. *Elle est si occupée qu'elle n'a même pas le temps de manger.* Le verbe se construit avec le subjonctif dans une phrase négative ou interrogative. *Elle n'est pas si occupée qu'elle ne puisse lire son journal. Est-il si pris qu'on ne puisse obtenir de rendez-vous avant un mois?*

**Locutions**

**S'il vous plaît**. Formule de politesse qui s'abrège **s.v.p.** ou **S.V.P.** *Deux croissants, s'il vous plaît, s.v.p.*

**Si... ne**, locution à valeur restrictive. *Si je ne m'abuse.*

**Si ce n'est**, locution prépositive. À l'exception de. *Tout est parfait si ce n'est cette coquille dans le texte.*

**Si tant est que**, locution conjonctive. Dans la mesure où. *Le projet est intéressant, si tant est qu'il soit réaliste.*

☞ La locution se construit avec le subjonctif.

# Sigle

• Le *sigle* est une abréviation constituée par les initiales de plusieurs mots et qui s'épelle lettre par lettre.

*HLM, PME, TPS* sont des sigles.

• L'*acronyme* est également composé des initiales ou des premières lettres d'une désignation, mais à la différence du sigle, il se prononce comme un mot.

*OTAN, cégep, Benelux* sont des acronymes.

• Le *logotype* (abréviation *logo*) est un dessin propre à une marque, à un produit, à une firme.

*Les logotypes Woolmark* (pure laine), *CN* (Canadien National) *sont bien connus.*

### Points abréviatifs

La tendance actuelle est d'omettre les points abréviatifs. Dans cet ouvrage, les sigles et les acronymes sont notés sans points; cependant, la forme avec points est généralement correcte.

### Genre et nombre des sigles

Les sigles sont du genre et du nombre du mot principal de la désignation abrégée.

*Le FMI (Fonds* [masculin singulier] *monétaire international), la CSN (Confédération* [féminin singulier] *des syndicats nationaux).*

☞ À son premier emploi dans un texte, le sigle doit être précédé de la désignation au long.

V. Tableau – **ABRÉVIATION** (RÈGLES DE L').
V. Tableau – **ACRONYME**.
V. Tableau – **SIGLES COURANTS**.

......................................................

*CÉCM* est le sigle de
*Commission des écoles catholiques de Montréal.*

*HEC* est le sigle de
*École des Hautes Études Commerciales.*

*TGV* est le sigle de
*train à grande vitesse.*

*TPS* est le sigle de
*taxes sur les produits et services*

......................................................

# Sigles courants

| | |
|---|---|
| **ACCT** | Agence de coopération culturelle et technique |
| **ACÉF** | Associations coopératives d'économie familiale |
| **ACFAS** | Association canadienne-française pour l'avancement des sciences |
| **ACDI** | Agence canadienne de développement international |
| **ACNOR** | Association canadienne de normalisation |
| **ADN** | Acide désoxyribonucléique |
| **AFÉAS** | Association féminine d'éducation et d'action sociale |
| **AFNOR** | Association française de normalisation |
| **AFP** | Agence France-Presse |
| **AI** | Amnesty International |
| **AID** | Agence internationale de développement |
| **AIÉA** | Agence internationale de l'énergie atomique |
| **ASCII** | American Standard Code for Information Interchange |
| **BBC** | British Broadcasting Corporation |
| **BCG** | Vaccin bilié de Calmette et Guérin |
| **BENELUX** | Union douanière de la Belgique, des Pays-Bas et du Luxembourg |
| **BFD** | Banque fédérale de développement |
| **BIRD** | Banque internationale pour la reconstruction et le développement |
| **BIT** | Bureau international du travail |
| **BNQ** | Bureau de normalisation du Québec |
| **CAC** | Conseil des Arts du Canada |
| **CAO** | Conception assistée par ordinateur |
| **CCCI** | Conseil canadien de la coopération internationale |
| **CCDP** | Commission canadienne des droits de la personne |
| **CÉC** | Conseil économique du Canada |
| **CÉCM** | Commission des écoles catholiques de Montréal |
| **CÉE** | Communauté économique européenne |
| **CÉI** | Communauté d'États indépendants |
| **CHU** | Centre hospitalier universitaire |
| **CIA** | Central Intelligence Agency |
| **CILF** | Conseil international de la langue française |
| **CLF** | Conseil de la langue française |
| **CLSC** | Centre local de services communautaires |
| **CNA** | Centre national des arts |
| **CNUCED** | Conférence des Nations Unies sur le commerce et le développement |
| **COFI** | Centre d'orientation et de formation des immigrants |
| **CPV** | Chlorure de polyvinyle |
| **CROP** | Centre de recherches sur l'opinion publique |
| **CRTC** | Conseil de la radiodiffusion et des télécommunications canadiennes |
| **CSST** | Commission de la santé et de la sécurité du travail |
| **CTF** | Commission de terminologie française |
| **CUP** | Code universel des produits |
| **DDT** | Dichloro-diphényl-trichloréthane |
| **DOM** | Département français d'outre-mer |
| **DSC** | Département de santé communautaire |
| **ÉCG** | Électrocardiogramme |
| **ECU** ou **ÉCU** | European Currency Unit |
| **ÉEG** | Électroencéphalogramme |
| **ÉNA** | École nationale d'administration (France) |
| **ÉNAP** | École nationale d'administration publique (Canada) |
| **FAO** | Organisation des Nations Unies pour l'alimentation et l'agriculture |
| **FMI** | Fonds monétaire international |
| **GATT** | Accord général sur les tarifs douaniers et le commerce |

suite →

# Sigles courants suite

| | |
|---|---|
| **GMT** | Temps moyen de Greenwich |
| **GRC** | Gendarmerie royale du Canada |
| **HAE** | Heure avancée de l'Est |
| **HEC** | École des Hautes Études Commerciales |
| **HLM** | Habitation à loyer modique (Canada) |
| **HLM** | Habitation à loyer modéré (France) |
| **HNE** | Heure normale de l'Est |
| **INRS** | Institut national de la recherche scientifique |
| **ISO** | Organisation internationale de normalisation (International Organization for Standardization) |
| **IVG** | Interruption volontaire de grossesse |
| **MIDEM** | Marché international du disque et de l'édition musicale |
| **MIT** | Massachusetts Institute of Technology |
| **MST** | Maladie sexuellement transmissible (France) |
| **MTS** | Maladie transmise sexuellement (Canada) |
| **NAS** | Numéro d'assurance sociale |
| **NASA** | National Aeronautics and Space Administration |
| **OACI** | Organisation de l'aviation civile internationale |
| **OCDÉ** | Organisation de coopération et de développement économique |
| **OIT** | Organisation internationale du travail |
| **OLF** | Office de la langue française |
| **OMM** | Organisation météorologique mondiale |
| **OMS** | Organisation mondiale de la santé |
| **ONF** | Office national du film |
| **ONG** | Organisation non gouvernementale |
| **ONU** | Organisation des Nations Unies |
| **OPEP** | Organisation des pays exportateurs de pétrole |
| **OPQ** | Office des professions du Québec |
| **OTAN** | Organisation du traité de l'Atlantique Nord |
| **OUA** | Organisation de l'unité africaine |
| **OVNI** | Objet volant non identifié |
| **PDG** | Président-directeur général |
| **PIB** | Produit intérieur brut |
| **PME** | Petite et moyenne entreprise |
| **PNB** | Produit national brut |
| **RADAR** | Répertoire analytique d'articles de revues |
| **RAIF** | Réseau d'action et d'information pour les femmes |
| **RAMQ** | Régie de l'assurance-maladie du Québec |
| **REÉR** | Régime enregistré d'épargne-retraite |
| **RREGOP** | Régime de retraite des employés du gouvernement et des organismes publics |
| **RRQ** | Régie des rentes du Québec |
| **SAAQ** | Société de l'assurance automobile du Québec |
| **SACO** | Service administratif canadien outre-mer |
| **SALT** | Strategic Arms Limitation Talks |
| **SIDA** | Syndrome immuno-déficitaire acquis |
| **SRC** | Société Radio-Canada |
| **STCUM** | Société de transport de la Communauté urbaine de Montréal |
| **TGV** | Train à grande vitesse |
| **TPS** | Taxe sur les produits et services |
| **UNESCO** | Organisation des Nations Unies pour l'éducation, la science et la culture |
| **ZAC** | Zone d'aménagement et de conservation |
| **ZEC** | Zone d'exploitation contrôlée |

# Conjugaison du verbe **sortir**

## INDICATIF

### Présent

je sors
tu sors
il sort
nous sortons
vous sortez
ils sortent

### Passé composé

j'ai sorti
tu as sorti
il a sorti
nous avons sorti
vous avez sorti
ils ont sorti

### Imparfait

je sortais
tu sortais
il sortait
nous sortions
vous sortiez
ils sortaient

### Plus-que-parfait

j'avais sorti
tu avais sorti
il avait sorti
nous avions sorti
vous aviez sorti
ils avaient sorti

### Passé simple

je sortis
tu sortis
il sortit
nous sortîmes
vous sortîtes
ils sortirent

### Passé antérieur

j'eus sorti
tu eus sorti
il eut sorti
nous eûmes sorti
vous eûtes sorti
ils eurent sorti

### Futur simple

je sortirai
tu sortiras
il sortira
nous sortirons
vous sortirez
ils sortiront

### Futur antérieur

j'aurai sorti
tu auras sorti
il aura sorti
nous aurons sorti
vous aurez sorti
ils auront sorti

## CONDITIONNEL

### Présent

je sortirais
tu sortirais
il sortirait
nous sortirions
vous sortiriez
ils sortiraient

### Passé

j'aurais sorti
tu aurais sorti
il aurait sorti
nous aurions sorti
vous auriez sorti
ils auraient sorti

## SUBJONCTIF

### Présent

que je sorte
que tu sortes
qu'il sorte
que nous sortions
que vous sortiez
qu'ils sortent

### Passé

que j'aie sorti
que tu aies sorti
qu'il ait sorti
que nous ayons sorti
que vous ayez sorti
qu'ils aient sorti

### Imparfait

que je sortisse
que tu sortisses
qu'il sortît
que nous sortissions
que vous sortissiez
qu'ils sortissent

### Plus-que-parfait

que j'eusse sorti
que tu eusses sorti
qu'il eût sorti
que nous eussions sorti
que vous eussiez sorti
qu'ils eussent sorti

## IMPÉRATIF

### Présent

sors
sortons
sortez

### Passé

aie sorti
ayons sorti
ayez sorti

## PARTICIPE

### Présent

sortant

### Passé

sorti, ie
ayant sorti

## INFINITIF

### Présent

sortir

### Passé

avoir sorti

# Subjonctif

Le subjonctif exprime une action considérée dans la pensée du sujet plutôt que dans la réalité; c'est le mode du doute, de l'incertitude, du souhait, de la crainte, de la supposition, de la volonté, du désir, de la concession.

*Je doute qu'il puisse venir. Il craint qu'il n'y ait pas assez de provisions. Tu souhaites qu'elle réussisse. Elle exigera que les messages soient bien transmis.*

## Locutions conjonctives

Certaines locutions conjonctives sont toujours suivies du subjonctif.

*Rentre avant qu'il ne pleuve. De peur qu'on ne t'aperçoive. Quoi que tu dises. Qui que tu sois.*

## Principales locutions conjonctives imposant le subjonctif

| | | | |
|---|---|---|---|
| *à condition que* | *de façon que* | *moyennant que* | *sans que* |
| *afin que* | *de manière que* | *pour que* | *si bien que* |
| *à moins que* | *en admettant que* | *pourvu que* | *si peu que* |
| *à supposer que* | *en attendant que* | *quel que* | *si tant est que* |
| *au lieu que* | *encore que* | *quelque que* | *soit que* |
| *avant que* | *en sorte que* | *qui que* | *supposé que* |
| *bien que* | *jusqu'à ce que* | *quoique* | *…* |
| *de crainte que* | *malgré que* | *quoi que* | |

V. Tableau – **CONCORDANCE DES TEMPS.**
V. Tableau – **INDICATIF.**
V. Tableau – **INFINITIF.**

---

Le **subjonctif** exprime une action considérée dans la pensée du sujet plutôt que dans la réalité; c'est le mode du doute, de l'incertitude, du souhait, de la crainte, de la supposition, de la volonté, du désir, de la concession.

L'**indicatif** est le mode du réel, le mode des faits certains. C'est le plus fréquemment utilisé; il comprend un temps pour le **présent**, cinq temps pour le **passé** et deux temps pour le **futur**.

L'**infinitif** exprime une idée d'action ou d'état sans indication de personne ni de nombre, sans relation à un sujet; c'est un mode impersonnel. L'infinitif s'emploie tantôt comme un nom, tantôt comme un verbe.

---

# Suffixe

Le suffixe est un élément qui se joint à la suite d'un radical pour former un dérivé.

| | SUFFIXE | SENS | EXEMPLES |
|---|---|---|---|
| Suffixes de noms | *-ateur* | agent | *dessinateur, accélérateur* |
| | *-ette* | diminutif | *maisonnette, fillette* |
| | *-isme* | doctrine | *automatisme, socialisme* |
| | *-ure* | ensemble | *toiture, voilure* |
| Suffixes d'adjectifs | *-able* | possibilité | *aimable, capable* |
| | *-el, -elle* | caractère | *spirituel, temporel* |
| | *-if, -ive* | caractère | *actif, vif* |
| | *-âtre* | péjoratif | *rougeâtre, douceâtre* |
| Suffixes de verbes | *-er* | action | *planter, couper* |
| | *-ir* | action | *finir, polir* |
| | *-asser* | péjoratif | *rêvasser, finasser* |
| | *-iser* | action | *informatiser, automatiser* |
| Suffixes d'adverbes | *-ment* | manière | *rapidement, calmement* |
| Suffixes d'origine latine | *-cide* | «tuer» | *homicide, régicide* |
| | *-culture* | «cultiver» | *apiculture, horticulture* |
| | *-duc* | «conduire» | *gazoduc, oléoduc* |
| | *-vore* | «manger» | *herbivore, omnivore* |
| Suffixes d'origine grecque | *-graphie* | «écriture» | *radiographie, télégraphie* |
| | *-logie* | «science» | *biologie, philologie* |
| | *-onyme* | «nom» | *toponyme, odonyme* |
| | *-thérapie* | «traitement» | *physiothérapie, chimiothérapie* |

# Sujet

Le sujet désigne l'être ou l'objet qui fait l'action du verbe (verbe d'action) ou qui s'actualise dans un verbe (verbe d'état).

*Elle a planté des fleurs. L'enfant a été très gentil.*

Pour trouver le sujet d'un verbe, on pose la question *qui est-ce qui...?* pour les personnes, *qu'est-ce qui...?* pour les objets, afin d'être en mesure d'accorder le verbe, l'attribut ou le participe passé, s'il y a lieu.

Le sujet peut être :

- un **nom** commun ou propre. *La table est ronde. Jacques joue du piano.*
- un **pronom**. *Nous sommes d'accord. Qui est là?*
- un **infinitif**. *Nager est bon pour la santé.*
- une **proposition**. *Pierre qui roule n'amasse pas mousse.*

V. Tableau – **COLLECTIF**.

# Superlatif

## Superlatif relatif

• Le superlatif relatif exprime la qualité d'un être ou d'un objet au degré le plus ou le moins élevé, lorsque l'on compare l'être ou l'objet qualifié à d'autres êtres ou objets.

*La rose est la plus belle de toutes les fleurs* (supériorité).
*Le pissenlit est la moins jolie des fleurs* (infériorité).

## Formation

• Le superlatif relatif est formé à l'aide de l'article défini et de certains adverbes : **le plus, le moins, le mieux, le meilleur, le moindre, des plus, des mieux, des moins**.

*Le meilleur des amis, le moindre de tes soucis.*

## Article

• L'article reste neutre (masculin singulier) devant l'adjectif féminin ou pluriel si la comparaison porte sur les différents états d'un être ou d'un objet.

*C'est le matin qu'elle est le plus en forme.*

• Si la comparaison porte sur plusieurs êtres ou objets, l'article s'accorde avec le nom auquel il se rapporte.

*Cette personne est la plus compétente des candidates.*

## Adjectif

• L'adjectif ou le participe qui suit le superlatif relatif **des plus, des mieux, des moins** se met au pluriel et s'accorde en genre avec le sujet déterminé.

*Cette animatrice est des plus compétentes. Un véhicule des plus résistants.*

• Si le sujet est indéterminé, l'adjectif ou le participe reste invariable.

*Acheter ces titres miniers est des plus spéculatif.*

## Superlatif absolu

• Le superlatif absolu exprime la qualité d'un être ou d'un objet à un très haut degré, sans comparaison avec d'autres êtres ou objets.

*La pivoine est très odorante* (supériorité).
*La marguerite est très peu odorante* (infériorité).

## Formation du superlatif absolu

• Le superlatif absolu est formé à l'aide des adverbes **très, fort, bien...** ou des adverbes en **-ment : infiniment, extrêmement, joliment...**

*Un édifice très haut, il est extrêmement rapide.*

• Dans la langue familière, le superlatif absolu est formé des préfixes **super-, extra-, archi-, ultra-...**

*Elle est super-gentille, ces produits sont ultra-chers.*

V. Tableau – **ADJECTIF**.

# Symbole

Signe conventionnel constitué par une lettre, un groupe de lettres, un pictogramme, un signe, le symbole sert à désigner un être, une chose, de façon très concise, indépendamment des frontières linguistiques. Il convient d'en respecter la graphie exacte. Les symboles appartiennent surtout au système de notation des sciences et des techniques : *les symboles chimiques, physiques, mathématiques, les symboles des unités de mesure, des unités monétaires.*

☞ Les symboles ne prennent jamais la marque du pluriel et s'écrivent sans point.

### Symboles chimiques

Ces symboles s'écrivent toujours avec une majuscule initiale, parfois suivie d'une minuscule accolée sans espace; les symboles ne sont pas suivis d'un point abréviatif.

*Ag* (argent), *C* (carbone), *N* (azote), *Na* (sodium)

☞ Dans les formules chimiques, les petits chiffres sont placés en indices inférieurs et les symboles se suivent sans espace. $H_2SO_4$

V. Tableau – **ABRÉVIATION** (RÈGLES DE L').
V. Tableau – **SYMBOLES DES UNITÉS DE MESURE.**
V. Tableau – **SYMBOLES DES UNITÉS MONÉTAIRES.**

..................................................

SYMBOLES CHIMIQUES

**Fe** est le symbole de *fer*
**H** est le symbole de *hydrogène*

SYMBOLES DES UNITÉS DE MESURE

**kg** est le symbole de *kilogramme*
**m** est le symbole de *mètre*

SYMBOLE DES UNITÉS MONÉTAIRES

**$** est le symbole de *dollar*
**F** est le symbole de *franc*

..................................................

# Symboles des unités de mesure

**Règles d'écriture**

Les symboles des unités de mesure qui sont les mêmes dans toutes les langues sont invariables et s'écrivent sans point abréviatif, en caractères romains.

*35 kg, 20 cm, 12 s*

☞ Si l'unité de mesure suit un nombre écrit en lettres ou si elle n'est pas précédée de chiffres, on ne peut recourir au symbole et l'unité de mesure s'écrit au long. *Vingt centimètres. La longueur de ce meuble est exprimée en centimètres.*

Le symbole se place après le nombre entier ou décimal et il en est séparé par un espacement simple.

*0,35 m, 23,8 °C*

Les sous-multiples d'unités non décimales s'écrivent à la suite sans ponctuation.

*11 h 35 min 40 s*

☞ Les symboles des unités de mesure sont normalisés et doivent être écrits sans être modifiés.

**Système international d'unités (SI)**

Le système défini par la Conférence générale des poids et mesures est le système métrique décimal à 7 unités de base qui a été adopté par le Canada.

Les noms des unités de mesure sont des noms communs qui s'écrivent en minuscules et qui prennent la marque du pluriel.

*Des mètres, des kelvins.*

V. Tableau – **MULTIPLES ET SOUS-MULTIPLES DÉCIMAUX.**
V. Tableau – **NOMBRES.**

| UNITÉS DE BASE | | |
|---|---|---|
| **m** | mètre | unité de longueur |
| **s** | seconde | unité de temps |
| **K** | kelvin | unité de température |
| **mol** | mole | unité de quantité de matière |
| **kg** | kilogramme | unité de masse |
| **A** | ampère | unité d'intensité de courant électrique |
| **cd** | candela | unité d'intensité lumineuse |

suite ⟶

# Symboles des unités de mesure suite

## 1. UNITÉS GÉOMÉTRIQUES

### Longueur

| | |
|---|---|
| Tm | téramètre |
| Mm | mégamètre |
| km | kilomètre |
| hm | hectomètre |
| dam | décamètre |
| m | mètre |
| dm | décimètre |
| cm | centimètre |
| mm | millimètre |
| μm | micromètre |
| nm | nanomètre |
| pm | picomètre |

### Aire ou superficie

| | |
|---|---|
| $km^2$ | kilomètre carré (=1 000 000 $m^2$) |
| $hm^2$ | hectomètre carré (= 10 000 $m^2$) |
| $dam^2$ | décamètre carré (= 100 $m^2$) |
| $m^2$ | mètre carré |
| $dm^2$ | décimètre carré |
| $cm^2$ | centimètre carré |
| $mm^2$ | millimètre carré |
| ca | centiare (= 1 $m^2$) |
| a | are (= 100 $m^2$) |
| ha | hectare (= 10 000 $m^2$) |

### Volume

| | |
|---|---|
| $km^3$ | kilomètre cube |
| $m^3$ | mètre cube |
| $dm^3$ | décimètre cube |
| $cm^3$ | centimètre cube |
| $mm^3$ | millimètre cube |
| hl ou hL | hectolitre (= 0,1 $m^3$) |
| dal ou daL | décalitre |
| l ou L | litre (= 1 $dm^3$) |
| dl ou dL | décilitre |
| cl ou cL | centilitre |
| ml ou mL | millilitre (= 1 $cm^3$) |
| st | stère (= 1 $m^3$ de bois) |

### Angle plan

| | |
|---|---|
| rad | radian |
| gr | grade |
| r | tour |
| ° | degré |
| ' | minute |
| " | seconde |

### Angle solide

| | |
|---|---|
| sr | stéradian |

## 2. UNITÉS MÉCANIQUES

### Vitesse

| | |
|---|---|
| m/s | mètre par seconde |
| km/h | kilomètre par heure |

### Vitesse angulaire

| | |
|---|---|
| rad/s | radian par seconde |
| r/s | tour par seconde |
| r/min | tour par minute |

### Accélération

| | |
|---|---|
| $m/s^2$ | mètre par seconde par seconde |

### Fréquence

| | |
|---|---|
| MHz | mégahertz |
| kHz | kilohertz |
| Hz | hertz |

### Force

| | |
|---|---|
| N | newton |

### Moment d'une force

| | |
|---|---|
| N.m | mètre-newton ou newton-mètre |

### Énergie, travail, quantité de chaleur

| | |
|---|---|
| MJ | mégajoule |
| kJ | kilojoule |
| J | joule |

### Puissance

| | |
|---|---|
| MW | mégawatt |
| kW | kilowatt |
| W | watt |
| mW | milliwatt |
| μW | microwatt |
| VA | voltampère (puissances apparentes) |
| kVA | kilovoltampère (puissances apparentes) |
| var | var (puissances réactives) |

### Contrainte, pression

| | |
|---|---|
| MPa | mégapascal |
| Pa | pascal |

suite ➡

# Symboles des unités de mesure suite

## 3. UNITÉS DE MASSE

### Masse

| | |
|---|---|
| t | tonne (= 1000 kg) |
| q | quintal (= 100 kg) |
| kg | kilogramme |
| hg | hectogramme |
| dag | décagramme |
| g | gramme |
| dg | décigramme |
| cg | centigramme |
| mg | milligramme |
| µg | microgramme |

### Masse volumique

| | |
|---|---|
| kg/m³ | kilogramme par mètre cube |

## 4. UNITÉS DE TEMPS

| | |
|---|---|
| a | année |
| d | jour |
| h | heure |
| min | minute |
| s | seconde |
| ms | milliseconde |
| µs | microseconde |
| ns | nanoseconde |
| ps | picoseconde |

## 5. UNITÉS CALORIFIQUES

### Température thermodynamique

| | |
|---|---|
| K | kelvin |
| °C | degré Celsius |

## 6. UNITÉS DE QUANTITÉ DE MATIÈRE

### Quantité de matière

| | |
|---|---|
| kmol | kilomole |
| mol | mole |
| mmol | millimole |
| µmol | micromole |

### Concentration

| | |
|---|---|
| mol/m³ | mole par mètre cube |

## 7. UNITÉS ÉLECTRIQUES ET MAGNÉTIQUES

### Intensité de courant électrique

| | |
|---|---|
| kA | kiloampère |
| A | ampère |
| mA | milliampère |
| µA | microampère |

### Quantité d'électricité

| | |
|---|---|
| C | coulomb |

### Force électromotrice

| | |
|---|---|
| MV | mégavolt |
| kV | kilovolt |
| V | volt |
| mV | millivolt |
| µV | microvolt |

### Résistance et conductance électriques

| | |
|---|---|
| TΩ | téraohm |
| MΩ | mégohm |
| Ω | ohm |
| µΩ | microhm |
| S | siemens |

### Capacité électrique

| | |
|---|---|
| F | farad |
| µF | microfarad |
| nF | nanofarad |
| pF | picofarad |

### Inductance électrique

| | |
|---|---|
| H | henry |
| mH | millihenry |
| µH | microhenry |

### Flux magnétique

| | |
|---|---|
| Wb | weber |

### Induction magnétique

| | |
|---|---|
| T | tesla |

### Force magnétomotrice

| | |
|---|---|
| A | ampère |

### Intensité de champ magnétique

| | |
|---|---|
| A/m | ampère par mètre |

suite →

# Symboles des unités de mesure suite

## 8. UNITÉS OPTIQUES

**Intensité lumineuse**

| | |
|---|---|
| cd | candela |

**Luminance**

| | |
|---|---|
| cd/m² | candela par mètre carré |
| cd/cm² | candela par centimètre carré |
| sb | stilb |

**Flux lumineux**

| | |
|---|---|
| lm | lumen |

**Éclairement**

| | |
|---|---|
| lx | lux |
| ph | phot |

**Vergence des systèmes optiques**

| | |
|---|---|
| δ | dioptrie |

## 9. UNITÉS D'INTENSITÉ SONORE

| | |
|---|---|
| B | bel |
| dB | décibel |

## 10. UNITÉS DES RAYONNEMENTS IONISANTS

**Activité radionucléaire**

| | |
|---|---|
| Bq | becquerel |
| Ci | curie |

**Quantité de rayonnement X ou Y**

| | |
|---|---|
| C/kg | coulomb par kilogramme |
| R | roentgen |

**Dose absorbée de rayonnement ionisant**

| | |
|---|---|
| Gy | gray |
| mGy | milligray |
| rad | rad |

**Équivalent de dose**

| | |
|---|---|
| Sv | sievert |
| rem | rem |

........................................................

LES UNITÉS DE MESURE

1. Unités géométriques.
2. Unités mécaniques.
3. Unités de masse.
4. Unités de temps.
5. Unités calorifiques.
6. Unités de quantité de matière.
7. Unités électriques et magnétiques.
8. Unités optiques.
9. Unités d'intensité sonore.
10. Unités des rayonnements ionisants.

........................................................

# Symboles des unités monétaires

Signes conventionnels qui désignent les monnaies internationales, les symboles des unités monétaires s'écrivent en majuscules, sans points et sont invariables.

## Place du symbole

En français, le symbole de l'unité monétaire se place après l'expression numérale, selon l'ordre de la lecture; il est séparé du nombre par un espacement simple. *39,95 $.*

☞— Pour certains tableaux et états financiers, il est possible d'intervertir l'ordre et de faire précéder du symbole l'expression numérale.

## Symbole suivi d'un code

Pour distinguer les devises dont le symbole est identique, un code abréviatif suit le symbole, lorsque le contexte l'exige. FF (franc français), FB (franc belge). S'il n'y a pas de confusion possible, le code est généralement omis.

## Symboles des principales monnaies internationales

| NOM DU PAYS | DÉSIGNATION DE LA MONNAIE | SYMBOLE |
|---|---|---|
| Afghanistan | afghani | A |
| Afrique du Sud | rand | R |
| Albanie | lek | LEDK |
| Algérie | dinar algérien | DA |
| Allemagne | deutsche mark | DM |
| Arabie saoudite | riyal saoudien | RLAS |
| Argentine | austral | N$AR |
| Australie | dollar australien | $A |
| Autriche | schilling | SCH |
| Belgique | franc belge | FB |
| Bénin | franc CFA | FCFA |
| Birmanie | kyat | K |
| Bolivie | peso bolivien | BOL |
| Brésil | cruzado | CZ |
| Bulgarie | lev | LVA |
| Burkina Faso | franc CFA | FCFA |
| Burundi | franc de Burundi | FBU |
| Cambodge | riel | J |
| Cameroun | franc CFA | FCFA |
| Canada | dollar canadien | $CAN |
| Centrafricaine (République) | franc CFA | FCFA |
| Chili | peso | $CH |
| Chine (Rép. pop. de) | yuan | CNY |
| Chypre | livre cypriote | £CYP |
| Colombie | peso colombien | $COL |
| Communauté d'États indépendants (CÉI) | rouble | RBL |
| Corée | won | W |
| Costa Rica | colon | COCR |
| Côte-d'Ivoire | franc CFA | FCFA |
| Cuba | peso cubain | $CU |
| Danemark | couronne danoise | KRD |
| Dominicaine (République) | peso dominicain | DOP |

suite ➡

# Symboles des unités monétaires suite

| | | |
|---|---|---|
| Égypte | livre égyptienne | £EG |
| Émirats arabes unis | dirham | AED |
| Équateur | sucre | SUC |
| Espagne | peseta | PTA |
| États-Unis | dollar | $US |
| Éthiopie | birr éthiopien | ETB |
| Finlande | mark finlandais | MF |
| France | franc français | FF |
| Gabon | franc CFA | FCFA |
| Ghana | cédi | C |
| Grande-Bretagne | livre sterling | £ |
| Grèce | drachme | DR |
| Guatemala | quetzal | Q |
| Guinée | syli | GNS |
| Haïti | gourde | G |
| Honduras | lempira | LEMP |
| Hongkong | dollar de Hongkong | $HGK |
| Hongrie | forint | FOR |
| Inde | roupie indienne | RUPI |
| Indonésie | rupiah | NRPH |
| Iran | rial | RL |
| Iraq | dinar iraquien | DIK |
| Irlande | livre irlandaise | £IR |
| Islande | couronne islandaise | KIS |
| Israël | shekel | ILS |
| Italie | lire | LIT |
| Japon | yen | Y |
| Jordanie | dinar jordanien | DJ |
| Kenya | shilling du Kenya | SHK |
| Koweit | dinar du Koweit | KD |
| Laos | kip | KIP |
| Liban | livre libanaise | £LIB |
| Liberia | dollar libérien | $LBR |
| Libye | dinar libyen | DLY |
| Luxembourg | franc luxembourgeois | FLUX |
| Madagascar | franc malgache | FMG |
| Mali | franc CFA | FCFA |
| Maroc | dirham | DH |
| Mauritanie | ouguiya | UM |
| Mexique | peso mexicain | $MEX |
| Népal | roupie népalaise | NPR |
| Nicaragua | cordoba | $NI |
| Niger | franc CFA | FCFA |
| Nigeria | naïra | NR |
| Norvège | couronne norvégienne | NOK |
| Nouvelle-Zélande | dollar néo-zélandais | $NZ |
| Pakistan | roupie du Pakistan | RUPP |
| Panama | balboa | BAL |
| Paraguay | guarani | GUA |
| Pays-Bas | florin néerlandais | FL |
| Pérou | sol | SOL |
| Philippines | peso | $PHI |

suite ➝

# Symboles des unités monétaires suite

| | | |
|---|---|---|
| Pologne | zloty | ZL |
| Portugal | escudo | ESC |
| Qatar | riyal | QR |
| Roumanie | leu | LEI |
| Ruanda | franc du Ruanda | FRU |
| Salvador | colon | COES |
| Sénégal | franc CFA | FCFA |
| Somalie | shilling | SMSH |
| Soudan | livre soudanaise | £SOU |
| Suède | couronne suédoise | SEK |
| Suisse | franc suisse | FS |
| Syrie | livre syrienne | £SYR |
| Tanzanie | shilling de Tanzanie | SHT |
| Tchad | franc CFA | FCFA |
| Tchécoslovaquie | couronne tchécoslovaque | CSK |
| Thaïlande | baht | BAHT |
| Togo | franc CFA | FCFA |
| Tunisie | dinar tunisien | DTU |
| Turquie | livre turque | £TQ |
| Uruguay | peso uruguayen | $UR |
| Venezuela | bolivar | BOLV |
| Viêt-nam | dông | DON |
| Yémen | rial du Yémen | YR |
| Yougoslavie | dinar | DIN |
| Zaïre | zaïre | ZA |
| Zambie | kwacha | K |
| Zimbabwe | dollar du Zimbabwe | $RHO |

. . . . . . . . . . . . . . . . . . . . . . . . . . . . . . . . . . . . . . . . . . . . . . . . . .

**ÉCU** ou **ECU,** nom masculin invariable.

• Sigle de *European Currency Unit*.

• Unité monétaire de la Communauté européenne qui n'est pas représentée matériellement et qui sert essentiellement aux comptes. *100 ÉCU de plus seront nécessaires.*

☞ En principe, le sigle s'écrit sans accent et ne prend pas la marque du pluriel : dans les faits, en raison de l'homonymie avec le mot *écu*, le *e* est généralement accentué et certains auteurs lui donnent la marque du pluriel.

. . . . . . . . . . . . . . . . . . . . . . . . . . . . . . . . . . . . . . . . . . . . . . . . . .

# Synonymes

Les synonymes sont des mots qui ont la même signification ou des sens très voisins. S'il n'y a pas de véritables synonymes, il y a des mots qui comportent des analogies de sens tout en différant les uns des autres par des nuances particulières.

À titre d'exemple, les verbes qui suivent expriment tous l'idée de «faire connaître», mais selon diverses modalités:

- **Indiquer**      Faire connaître une personne, une chose, en donnant un indice (détail caractéristique) qui permet de la trouver.
- **Montrer**      Faire connaître en mettant sous les yeux.
- **Signaler**      Faire connaître en attirant l'attention sur un aspect particulier.
- **Citer**      Faire connaître en nommant une personne, une chose.
- **Désigner**      Faire connaître par une expression, un signe, un symbole.
- **Nommer**      Faire connaître par son nom.
- **Révéler**      Faire connaître ce qui était inconnu.

Certains synonymes sont des **doublets** qui proviennent d'une même origine, mais qui ont suivi une évolution phonétique différente. *Fragile et frêle.*

V. Tableau – **DOUBLETS.**

☞    Ne pas confondre avec les noms suivants:

- **antonymes,** mots qui ont une signification contraire:

    *devant, derrière;*

- **homonymes,** mots qui s'écrivent ou se prononcent de façon identique sans avoir la même signification:

    *air, aire, ère, hère;*

- **paronymes,** mots qui présentent une ressemblance d'orthographe ou de prononciation sans avoir la même signification:

    *acception* (sens d'un mot), *acceptation* (accord).

V. Tableau – **ANTONYMES.**
V. Tableau – **HOMONYMES.**
V. Tableau – **PARONYMES.**

························ ① ························

Les noms qui suivent expriment tous l'idée de rémunération, mais avec des différences:

- **cachet**, rémunération que reçoit l'artiste;
- **honoraires**, rétribution variable de la personne qui exerce une profession libérale;
- **paie** ou **paye**, rémunération d'un employé;
- **salaire**, générique de toute rémunération convenue d'avance et donnée par n'importe quel employeur;
- **traitement**, rémunération d'un fonctionnaire.

···········································

# Tel

## TEL, TELLE, ADJECTIF INDÉFINI

Pareil, semblable.

*Je n'ai jamais entendu de telles bêtises. Une telle conscience professionnelle est tout à votre honneur.*

☞ Placé en début de proposition comme attribut, l'adjectif entraîne l'inversion du sujet. *Nous nous retrouvions tous autour de la table, car telle était sa volonté.*

## ACCORD DE L'ADJECTIF

• *Tel* (non suivi de *que*). L'adjectif s'accorde avec le nom qui suit.

*Elle était tel un tigre.*

• *Tel que.* L'adjectif s'accorde toujours avec le nom auquel il se rapporte.

*Une amazone telle qu'un fauve. Tels que des vagues déferlantes, les cavaliers surgirent tout à coup.*

• *Tel quel.* Sans changement.

*Ces amies, je les ai retrouvées telles quelles, semblables à ce qu'elles ont toujours été.*

☞ La locution s'accorde en genre et en nombre avec le nom auquel elle se rapporte.

• *Comme tel.* En cette qualité.

*La langue officielle du Québec est le français et doit être reconnue comme telle par tous les Québécois.*

☞ Dans les expressions *comme tel, en tant que tel* l'adjectif s'accorde avec le nom auquel il se rapporte.

• Si grand.

*Il se battit avec un tel courage qu'il finit par vaincre.*

• Tel + **nom** (sans article). Se dit de personnes, de choses qu'on ne peut désigner de façon déterminée.

*Ils viendront à telle heure, à tel moment. Je vous donnerai telle ou telle information.*

• **Tel que** + **participe passé**. L'ellipse du verbe conjugué est à éviter, on préférera la construction *L'amendement a été adopté tel qu'il avait été proposé* à celle de *tel que proposé,* dans la langue soutenue.

• *De telle sorte que,* locution conjonctive. De telle manière que, à tel point que.

*Il a travaillé de telle sorte qu'il peut récolter aujourd'hui les fruits de ses efforts.*

☞ La locution se construit avec l'indicatif.

## TEL, PRONOM INDÉFINI SINGULIER

• (Litt.) Celui, quelqu'un.

*Tel est pris qui croyait prendre.* Le pronom ne s'emploie qu'au singulier.

• *Tel... tel.* Celui-ci et celui-là.

*Tel aime la lecture, tel préfère le sport.*

• *Un tel, une telle.* La locution remplace un nom propre qui n'est pas précisé.

*Madame Une telle.*

# Titres de fonctions

**Titres de fonctions, de grades, de noblesse**

De façon générale, ces titres sont des noms communs qui s'écrivent avec une minuscule.

*Le pape, la présidente-directrice générale, le duc, la juge, le premier ministre.*

Si le titre désigne une personne à qui l'on s'adresse, il s'écrit avec une majuscule.

*Veuillez agréer, Madame la Présidente, ...*

**Titres honorifiques**

Le titre honorifique ainsi que l'adjectif et l'adverbe qui le précèdent s'écrivent avec une majuscule.

*Sa Sainteté, Sa Très Gracieuse Majesté.*

Suivis du nom propre, les titres honorifiques s'abrègent.

*S.S. le pape Jean-Paul II, S. M. la reine Élisabeth II.*

**Titres de civilité**

Les titres de civilité s'écrivent avec une majuscule et ne s'abrègent pas quand on s'adresse directement à la personne dans les suscriptions.

*Monsieur Jacques Valbois.*

☞ Dans les formules d'appel ou de salutation, le titre de civilité n'est pas suivi du patronyme. *Madame (et non *Madame Valbois).*

Le titre s'abrège généralement lorsqu'il est suivi du patronyme ou d'un autre titre et qu'on ne s'adresse pas directement à la personne.

*M. Roberge est absent, M. le juge est là.*

Le titre s'écrit avec une minuscule initiale et ne s'abrège pas lorsqu'il est employé seul, sans être accompagné d'un nom propre, d'un titre ou d'une fonction, dans certaines constructions de déférence.

*Oui, monsieur, madame est sortie. Je ne crois pas avoir déjà rencontré monsieur.*

..........................①..........................

Depuis l'accès des femmes à de nouvelles fonctions et devant le désir de celles-ci de voir leurs appellations d'emploi refléter cette nouvelle réalité, il est recommandé d'utiliser les formes féminines des titres de fonctions. V. Tableau – **FÉMINISATION DES TITRES.**

..........................②..........................

Pour une liste détaillée de l'usage des titres de fonctions, de civilité, etc., dans la correspondance : V. Tableau – **CORRESPONDANCE.**

..................................................

# Titres d'œuvres

Les titres d'œuvres littéraires (poèmes, essais, romans, etc.) ou artistiques (peintures, sculptures, compositions musicales), les noms de journaux, de périodiques s'écrivent avec une majuscule au substantif initial et éventuellement à l'adjectif, l'adverbe, l'article qui le précèdent.

*Le Dictionnaire thématique visuel, le Petit Robert, la Joconde, les Concertos brandebourgeois, Le Devoir, Les Très Riches Heures du duc de Berry.*

☞— Les titres sont composés en italique dans un texte en romain. Dans un texte déjà en italique, la notation se fait en romain. Dans un manuscrit, on utilisera les guillemets ou le soulignement si le texte est destiné à l'impression.

### Article défini

L'article défini ne prend la majuscule que s'il fait partie du titre.

*Il a lu* L'Art d'aimer *d'Ovide.*

### Adjectif

Si l'adjectif précède le substantif, tous deux prennent la majuscule.

*La Divine Comédie, le Grand Larousse de la langue française, Le Bon Usage.*

Si l'adjectif suit le substantif, il s'écrit avec une minuscule.

*Le Code typographique.*

### Plusieurs substantifs

Si le titre est constitué de plusieurs mots mis en parallèle, chacun s'écrit avec une majuscule.

*Guerre et Paix, La Belle et la Bête.*

### Phrase

Lorsqu'un titre est constitué d'une phrase, seul le premier mot s'écrit avec une majuscule.

*À la recherche du temps perdu. La Guerre de Troie n'aura pas lieu.*

### Contraction de la préposition *à* ou *de* et de l'article initial du titre

En général, la contraction de la préposition et de l'article initial se fait.

*La lecture du* Devoir. *Le visionnement des* Quatre cents coups *de Truffaut.*

### Accord du verbe, de l'adjectif et du participe

Le verbe, l'adjectif et le participe s'accordent avec le titre si celui-ci débute par un nom précédé d'un article ou si le titre est un nom propre féminin.

*Les* Champs magnétiques *sont une œuvre surréaliste. La* Joconde *fut peinte par Léonard de Vinci.*

# Toponymes

Les toponymes sont des **noms de lieux** appelés également **noms géographiques.**

### Toponyme administratif

Le toponyme administratif désigne un espace délimité par l'homme. Exemples de toponymes administratifs : *la rue Saint-Jean-Baptiste, la route Transcanadienne, le parc des Laurentides, Port-au-Persil.*

☞ L'*odonyme* est un toponyme administratif qui désigne une voie de circulation.

### Toponyme d'entité naturelle

Le toponyme d'entité naturelle désigne un lieu façonné par la nature. Exemples de toponymes d'entités naturelles : *le lac des Deux Montagnes, la vallée de la Loire, le mont Tremblant, la rivière aux Outardes.*

### Générique du toponyme

Le générique est un nom commun qui désigne le type d'entité nommée (**lac, rivière, fleuve, mont, village, ville,** etc.); il s'écrit avec une minuscule.

### Spécifique du toponyme

Le spécifique est un nom propre qui sert à préciser la désignation; il s'écrit avec des majuscules (à l'exception des articles, des prépositions et des conjonctions). *Le mont Blanc, la rue Clément, l'océan Pacifique.* Les mots **Blanc, Clément, Pacifique** sont les éléments spécifiques de ces toponymes.

☞ Les mots composant la partie spécifique des toponymes de nature administrative sont liés par des traits d'union. *L'avenue Côte-des-Neiges.* Par contre, les mots composant la partie spécifique des toponymes d'entités naturelles s'écrivent sans trait d'union. *La rivière de l'Anse à Beaufils.*

Toutefois, quand un spécifique d'entité administrative ou naturelle comporte un prénom et un nom, un prénom double, deux noms, un nom ou un prénom précédé d'un titre, l'adjectif *saint,* ces éléments sont liés par des traits d'union. *Le Saint-Laurent, le mont Raoul-Blanchard.*

### Point cardinal

Le point cardinal qui fait partie d'un toponyme s'écrit avec une majuscule à la suite du nom spécifique. *Ce bureau est situé rue Laurier Ouest.*

V. Tableau – **GÉOGRAPHIQUES** (NOMS).

. . . . . . . . . . . . . . . . . . . . . . . . . . ① . . . . . . . . . . . . . . . . . . . . . . . . . .

**Rive** : nom féminin qui désigne une bande de terre qui borde un lac, une rivière. *La rive sud du Saint-Laurent, la rive gauche de la Seine.*

☞ Selon la Commission de toponymie du Québec, la région située devant Montréal, au sud du Saint-Laurent, s'écrit avec des majuscules et un trait d'union. *Rive-Sud* (désignation non officielle).

☞ Pour la mer, on dit plutôt *rivage*.

. . . . . . . . . . . . . . . . . . . . . . . . . . . . . . . . . . . . . . . . . . . . . . . . . . . . . . .

# Tout

**TOUT, TOUTE,** ADJECTIF INDÉFINI

- Complet, entier. *Tout l'univers, toutes les plantes, tous les enfants.*
- Chaque. *Il peut pleuvoir à tout moment, elle appelle tous les jours.*
- Entièrement. *Elle était toute à ses études.*
- Au plus haut point. *Ce paysage est de toute beauté.*
- Tout le monde. *Tout Montréal était là.*

- Locutions avec **tout** singulier

| | | |
|---|---|---|
| à toute allure | à toute vitesse | en tout temps |
| à tout bout de champ | de tout cœur | en toute franchise |
| à toute bride | de tout temps | en toute hâte |
| à toute épreuve | en tout cas | en toute liberté |
| à toute force | en tout état de cause | tout compte fait |
| à tout hasard | en tout genre | tout à coup |
| à toute heure | en tout lieu | tout feu tout flamme... |
| à tout propos | en toute saison | |

- Locutions avec **tout** pluriel

| | | |
|---|---|---|
| à tous égards | de toutes pièces | toutes réflexions faites |
| à tous coups | toutes proportions gardées | tous feux éteints |
| à tous crins | toutes affaires cessantes | tous azimuts... |
| à toutes jambes | toutes choses égales | |

- Locutions avec **tout** singulier ou pluriel

  à tout moment – à tous moments
  de toute façon – de toutes façons
  à tout point de vue – à tous points de vue
  de tout côté – de tous côtés
  de toute manière – de toutes manières
  de toute part – de toutes parts
  de toute sorte – de toutes sortes
  en tout sens – en tous sens...

- **Tout** + titre d'œuvre. L'adjectif ne s'accorde que devant un titre féminin qui commence par un article défini. *J'ai lu tout* Phèdre. *Elle a lu toutes* Les Fleurs du mal. *Il lira toute* L'Énéide, mais *ils connaissent tout* Petits poèmes en prose *de Baudelaire.*

**TOUT,** NOM MASCULIN

La totalité. *Risquer le tout pour le tout. Le tout est de partir à temps.*

**TOUT, TOUS, TOUTES,** PRONOM INDÉFINI

- Le **s** du pronom masculin pluriel se prononce.
- L'ensemble des personnes. *Il l'a répété à tous. Toutes étaient présentes. Je les prends tous.*
- Toute chose. *C'est tout ou rien. Ils ont tout mangé. La nouvelle entreprise souhaite tout reconstruire.*
- N'importe quoi. *Elle est préparée à tout. Prenez un peu de tout.*

**TOUT,** ADVERBE

- Entièrement, tout à fait. *Il est tout inquiet, la forêt est tout silence, les enfants sont tout mouillés.*
- ☞ 1° Devant un adjectif ou un participe, le mot **tout** pris adverbialement est normalement **invariable.**

suite ➡

# **Tout** suite

Cependant, pour des raisons d'**euphonie**, le mot **s'accorde en genre et en nombre** devant un adjectif au féminin ou un participe passé féminin qui commence par une consonne ou un **h** aspiré. *Elle est tout inquiète, tout heureuse,* mais *elles sont toutes confuses, toutes hardies, toutes trempées.*

2° Devant un nom féminin qui commence par une voyelle ou un **h** muet, le mot **tout** pris adverbialement est invariable. *Elle est tout amabilité, il est tout harmonie.* Devant un nom féminin singulier qui commence par une consonne ou un **h** aspiré, le mot **tout** prend la marque du féminin, mais peut également rester invariable. *Il est toute douceur, toute honte.*

3° Devant un nom féminin pluriel, le mot **tout** reste invariable. *Des voiles tout soieries.*

• **Tout** + gérondif. En même temps que. *Tout en lisant, elle écoutait de la musique.*

• **Tout** + adverbe. Tout à fait. *Il lui répond tout net, tout court, tout juste, tout de travers.*

**Locutions adverbiales**

| | | |
|---|---|---|
| **Après tout** | En définitive | *Après tout, nous sommes amis.* |
| **À tout prendre** | En somme | *À tout prendre, elle préfère ceci.* |
| **Comme tout** | Extrêmement | *Il est gentil comme tout.* |
| **Du tout au tout** | Complètement | *J'ai repris l'affaire du tout au tout.* |
| **En tout** | Sans rien omettre | *Combien vous doit-on en tout?* |
| **Pas du tout** | Nullement | *Vous ne me dérangez pas du tout.* |
| **Tout à coup** | Brusquement | *Tout à coup, il se mit à hurler.* |
| **Tout à fait** | Entièrement | *La maison est tout à fait neuve.* |
| **Tout à l'heure** | Dans quelques instants | *Ils seront là tout à l'heure.* |
| **Tout de même** | Néanmoins | *Il a refusé, j'y vais tout de même.* |
| **Tout de suite** | Immédiatement | *J'arrive tout de suite.* |
| **Tout d'un coup** | En même temps | *La tour s'est effondrée tout d'un coup.* |

. . . . . . . . . . . . . . . . . . . . . . . . . . . . . . . . . . . . . . . . . . . . . .

À noter :

**tout-à-l'égout,** nom masculin invariable
Réseau de canalisation reliant les habitations aux égouts.
> *Des tout-à-l'égout.*

**tout-petit,** nom masculin
Jeune enfant.
> *Des tout-petits*

**tout-puissant, toute-puissante,** adjectif
Qui a une très grande puissance.
> *Les dictateurs tout-puissants, les entreprises toutes-puissantes.*

☞ Attention à l'accord de l'élément **tout-** qui ne se fait qu'au féminin; lorsque l'adjectif qualifie un nom masculin, l'élément **tout-** est invariable.

. . . . . . . . . . . . . . . . . . . . . . . . . . . . . . . . . . . . . . . . . . . . . .

# Trait d'union

Signe en forme de trait horizontal qui se place à mi-hauteur de l'écriture, sans espace avant ni après, et qui sert principalement à unir les éléments de certains mots composés, les syllabes d'un mot divisé en fin de ligne.

**Emplois**

• Coupure d'un mot en fin de ligne.
> *Ce dictionnaire comporte des tableaux relatifs aux difficultés ortho-*
> *graphiques.*

V. Tableau – **DIVISION DES MOTS.**

• Liaison des éléments de certains mots composés.
> *Le prêt-à-porter, un presse-citron.*

☞ Dans les mots composés avec un préfixe, il se dessine une tendance marquée à supprimer le trait d'union en vue de simplifier l'orthographe.

V. Tableau – **NOMS COMPOSÉS.**

• Liaison des nombres inférieurs à **cent** qui ne sont pas reliés par la conjonction **et**.
> *Quatre-vingt-deux.*

V. Tableau – **NOMBRES.**

• Liaison des éléments spécifiques des toponymes.
> *Le boulevard René-Lévesque.*

V. Tableau – **TOPONYMES.**

• Liaison des prénoms, des patronymes.
> *Marie-Ève. M^me^ Vigée-Lebrun.*

• Liaison des formes verbales inversées.
> *C'est ainsi, lui dit-il.*

V. Tableau – **SUJET.**

• Liaison de certains préfixes (**demi-, grand-, non-, sous-,** etc.) à un substantif.
> *Une politique de non-ingérence.*

☞ Les adjectifs composés avec certains de ces préfixes s'écrivent généralement sans trait d'union. *C'est un peintre non figuratif.*

. . . . . . . . . . . . . . . . . . . . . . . . . . . . . . . . . . . . . . . . . . . . . . .

Attention aux divers usages du trait d'union pour les verbes à l'impératif :

> Raconte-lui cette histoire.
> Viens te laver.
> Dis-le-moi.
> Donnes-en...

. . . . . . . . . . . . . . . . . . . . . . . . . . . . . . . . . . . . . . . . . . . . . . .

# Un

**UN, UNE,** ADJECTIF NUMÉRAL CARDINAL

• Une unité.
  *Cette table mesure un mètre sur deux mètres. Elle a pris un café et deux croissants, il a pris une brioche.*

☞ 1° L'adjectif *un* est le seul numéral à prendre la marque du féminin. *Dans cette classe, il y a vingt et une étudiantes.*

2° L'adjectif *un* se joint aux dizaines à l'aide de la conjonction *et* sans traits d'union. *Trente et un, cinquante et un.* Une seule exception : *quatre-vingt-un.*

3° L'adjectif *un* se joint aux centaines, aux milliers sans trait d'union et sans conjonction. *Cent un, mille un.*

4° La préposition *de* ne s'élide pas devant l'adjectif numéral dans les textes de nature scientifique, technique ou commerciale. *Une distance de un kilomètre, le total de un million de dollars.*

• Simple, unique.
  *La vérité est une et indivisible.*

• *Un par un, un à un*, locutions adverbiales. Un seul à la fois.
  *Elles passeront une par une.*

V. Tableau – **NOMBRES**.

**UN, UNE,** ADJECTIF NUMÉRAL ORDINAL

Premier.
  *Chapitre un, acte un, page un.*

☞ L'adjectif numéral ordinal s'écrit généralement en chiffres romains ou en chiffres arabes. *Chapitre I, page 1.*

**UN,** NOM MASCULIN INVARIABLE

Chiffre qui exprime l'unité.
  *Le nombre 111 s'écrit avec trois un.*

☞ Devant le nom *un*, l'article *le* ne s'élide pas. *Ils habitent le un de la rue des Érables.*

**UNE,** NOM FÉMININ

Première page d'un quotidien.
  *Cet article figure à la une du journal du soir.*

**UN, UNE,** ARTICLE INDÉFINI

L'article indéfini se rapporte à une personne, à une chose indéterminée ou non dénommée.
  *Il a rencontré un ami, elle a vu un cheval et une jolie maison.*

☞ L'article s'accorde en genre et en nombre avec le nom auquel il se rapporte. Le pluriel de l'article est *des*.

V. Tableau – **ARTICLE**.

suite ⟶

# Un suite

## UN, UNE, UNS, UNES, PRONOM INDÉFINI

• Quelqu'un.

• **Une, une des...** Quelqu'un parmi.
   *L'une des participantes a appuyé la proposition. Les juges ont désigné un des champions.*

☞ En tête de phrase, on emploie généralement *l'* devant le pronom pour des raisons d'euphonie.

• **Un de ceux, une de celles qui, que**. Le verbe se met au pluriel.
   *Cette jeune étudiante est une de celles qui ont le plus travaillé.*

• **Un, une des** + verbe au pluriel. Quelqu'un parmi. Le participe passé ou l'attribut s'accorde avec le complément du pronom.
   *Un des auteurs qui se sont attachés à décrire cette situation.*

• **Un, une des** + verbe au singulier. Le participe passé ou l'attribut s'accorde avec le pronom indéfini.
   *Une des athlètes qui a été sélectionnée.*

• **L'un, l'une l'autre, les uns, les unes les autres**. Réciproquement.
   *Ils s'aiment l'un l'autre. Elles s'aident les unes les autres.*

• **L'un, l'une..., l'autre**. Celui-là, celle-là par opposition à *l'autre*.
   *L'une chante, l'autre danse. L'un accepte, tandis que l'autre refuse.*

• **L'un et l'autre**. Tous deux.
   *L'un et l'autre viendra* ou *viendront.*

☞ Le verbe se met au singulier ou au pluriel.

• **L'un ou l'autre**. Un seul des deux.

☞ Le verbe se met au singulier. *L'une ou l'autre sera présente.*

• **Ni l'un, l'une ni l'autre**. Aucun des deux.
   *Ni l'un ni l'autre n'a accepté* ou *n'ont accepté.*

• **Pas un**. Aucun. Le pronom se construit avec **ne**.
   *Pas un ne réussira.*

• **Plus d'un, d'une**. Le verbe s'accorde au singulier avec le pronom indéfini.
   *Plus d'une étudiante était satisfaite.*

• **Plus d'un, d'une** + complément au pluriel. Le verbe se met au singulier ou au pluriel.
   *Plus d'un des candidats était déçu* ou *étaient déçus.*

........................ ① ........................
L'**adjectif numéral cardinal** détermine les êtres ou les choses par leur NOMBRE.

   *Trois pommes.*

........................ ② ........................
L'**adjectif numéral ordinal** détermine les êtres ou les choses par leur ORDRE.

   *Page 2.*

........................................................

# Verbe

Le verbe est un mot qui exprime l'action, l'état, le devenir d'un sujet.

Il revêt des désinences diverses pour marquer :

– la **personne**, le **nombre**, le **genre** du sujet;
– le **temps** auquel l'action se passe;
– le **mode**, la **manière** dont elle se présente;
– la **voix** selon que l'action est faite ou subie par le sujet.

V. Tableau – **INDICATIF.**
V. Tableau – **CONDITIONNEL.**
V. Tableau – **PARTICIPE PASSÉ.**
V. Tableau – **PARTICIPE PRÉSENT.**
V. Tableau – **SUBJONCTIF.**

## VERBES TRANSITIFS ET INTRANSITIFS

• Les **verbes transitifs directs** ont un complément indiquant sur qui ou sur quoi porte l'action du verbe et qui est joint directement au verbe, sans préposition.
*L'enfant mange la pomme.*

• Les **verbes transitifs indirects** ont un complément de même nature relié indirectement au verbe par une préposition (*à, de*, etc.).
*Il parle à sa sœur. Vous souvenez-vous de lui?*

• Les **verbes intransitifs** sont construits sans complément d'objet direct ou indirect.
*Le soleil plombe, l'herbe pousse.*

• Les **verbes impersonnels** expriment un état qui ne comporte pas de sujet logique; ils ne se construisent qu'à la troisième personne du singulier.
*Il neige à plein ciel.*

### VOIX DU VERBE

Alors que la **forme active** présente l'action par rapport au sujet qui la fait, la **forme passive** intervertit le point de vue pour présenter l'action par rapport à l'objet qui la subit.
*L'enfant mange la pomme* (voix active).
*La pomme est mangée par l'enfant* (voix passive).

☞ Seuls les verbes transitifs directs peuvent se construire au passif.

## VERBES PRONOMINAUX

• Le **verbe pronominal** est accompagné d'un pronom désignant le même être, le même objet que le sujet.
*Tu te laves, elles se sont parlé.*

• Le pronominal est **réfléchi** lorsque l'action porte sur le sujet.
*Bruno s'est coupé. Brigitte s'est blessée.*

• Le pronominal est **réciproque** lorsque deux ou plusieurs sujets agissent l'un sur l'autre ou les uns sur les autres.
*Ils se sont aimés.*

☞ Le verbe pronominal réciproque ne s'emploie qu'au pluriel.

• Le pronominal est **non réfléchi** lorsque le verbe exprime par lui-même un sens complet et que le pronom n'a pas de valeur particulière.
*S'en aller, s'évanouir, se douter de, se taire, se moquer, s'enfuir...*

V. Tableau – **PRONOMINAUX.**

# INDEX

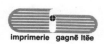

imprimerie   gagné ltée

IMPRIMÉ AU CANADA

Achevé d'imprimer en octobre 1995